2025年度版

TAC 税理士講座

税理士受験

21

相続税法

総合計算問題集 基礎編

はじめに

最近の相続税法の本試験の総合計算問題の出題傾向として、年々資料中に占める不動産項目並びに株式及び金融商品の評価といった、財産評価の割合が大きくなっていることが挙げられる。こういった出題傾向を踏まえ、本書は、財産評価を中心とした総合計算問題集として作成し、総合問題の演習による税理士相続税法・計算の実力養成を図ることを狙いとしている。

総合計算問題に強くなる、つまり、財産評価等の正解率やスピード力を向上させるためには、できなかった箇所を徹底的に自己分析することである。その際に、記録にとどめておくことは、自分の力の伸び具合を知るうえで効果的であることから、「演習の記録」を残すことが重要である。そして、制限時間を徹底させて、問題を繰り返し解き直すことである。

なお、本書でできなかった財産評価の論点は、姉妹書である「財産評価問題集」で、また、財産評価以外の個別論点は、姉妹書である「個別計算問題集」でそれぞれ徹底的に確認することをお勧めする。

本書を利用することにより、一人でも多くの受験生が相続税法合格の栄冠を勝ち取られんことを願って止まない。

ＴＡＣ税理士講座

本書の特長

1　最近の試験傾向に対応

最近の相続税法の本試験の総合計算問題の傾向は、財産評価の割合が大きくなっていることです。本書は、総合問題演習を通じて、財産評価を含めた計算問題対策の実力養成を図ることを狙いとしています。

2　制限時間を明示

問題にはすべて標準的な解答時間を制限時間として付しています。制限時間内の解答を目標としてください。

3　最新の改正に対応

最新の税法等の改正等に対応しています。
（令和６年７月までの施行法令に準拠）

4　難易度を明示

問題ごとに、難易度を付しています。到達レベルにあわせて問題を選択することができます。

Aランク…基本問題
Bランク…やや難しい問題
Cランク…本試験レベルの難しい問題

5　本試験の出題の傾向と分析を掲載

本試験の出題傾向と分析を掲載しています。学習を進めるにあたって、参考にしてください。

（注）本書掲載の「出題の傾向と分析」は、「2024年度版　相続税法　過去問題集」に掲載されていたものをもとにしています。

本書の利用方法

1 解答時間を計って解く

解き始めの時間と終了時間を必ずチェックし、解答時間を記録しておきます。時間を意識しないトレーニングは意味がなく、上達も期待できません。ただし、解き慣れていない人は、最初は制限時間を気にしないで自分のペースで最後まで解いてみることをお勧めします。この場合でも解答時間はチェックし、徐々に制限時間内の解答を目指すようにしてください。

2 チェック欄の利用方法

目次には問題ごとにチェック欄を設けてあります。実際に問題を解いた後に、日付、得点、解答時間などを記入することにより、計画的な学習、弱点の発見ができます。

3 間違えた問題はもう一度解く

間違えた問題をそのままにしておくと、後日同じような問題を解いたときに再度間違える可能性が高くなります。そのため、間違えた問題はなぜ間違えたのかを徹底的に分析して、二度と同じ間違いを繰り返さないように対策を考え、少し時期をずらしてもう一度解いて確認してください。

4 答案用紙の利用方法

「答案用紙」は、ダウンロードでもご利用いただけます。Cyber Book Store（TAC出版書籍販売サイト）の「解答用紙ダウンロード」にアクセスしてください。

https://bookstore.tac-school.co.jp

目次

出題の傾向と分析

(2) 計算問題について

① 出題形式について

イ　過去の出題内容

回数 内容	第59回	第60回	第61回	第62回	第63回	第64回	第65回	第66回	第67回	第68回	第69回	第70回	第71回	第72回	第73回
1　相続税の総合問題	○	○	○	○	○	○	○	○	○	○	○	○	○	○	○
2　個別問題															
(1) 財産評価															
(2) 贈与税額の計算							○	○							
(3) 申告書の提出期限及び提出先															
(4) 延　納															
(5) 相続税の納税猶予															
(6) 相続時精算課税選択届出書の提出期限及び提出先															

ロ　過去の出題内容の傾向と分析

納付すべき相続税額を求める問題は、毎年必ず出題されるのであるが、それ以外にも、5点から20点の範囲で個別問題も出題されている。

その個別問題の中では、延納に関する問題が出題されている回数が最も多く、過去72回中5回を数えており、また、正確に解答することが求められるため、常に正解を出せるように学習を重ねておく必要性が高まっている。

他の出題については、さほど難解なものはないので、出題の形式のみ過去の試験問題で理解しておけばよいと思われる。

なお、上記表中において、項目名は記載されていても○がいずれの回の試験においても付されていないものがあるが、これは1回も出題されていないということではなく、第57回以前の税理士試験においては出題されていたが、この15年の間には出題がなされなかったものであることを示している。

②　相続人と相続分について

イ　過去の出題内容

内容＼回数	第59回	第60回	第61回	第62回	第63回	第64回	第65回	第66回	第67回	第68回	第69回	第70回	第71回	第72回	第73回
1　相続人の順位	1	1	3	1	1	1	1	1	1	1	1	1	1	1	3
2　法定相続人の順位	1	1	3	1	1	1	1	1	1	1	1	1	1	1	2
3　相続人及び相続分の個別論点															
(1) 内縁関係者				○			○	○							
(2) 非嫡出子				○			○	○							
(3) 胎　児															
(4) 養子縁組	○	○		○	○	○	○	○	○	○	○	○	○	○	
(5) 配偶者の連れ子						○					○				
(6) 半血兄弟姉妹			○												
(7) 代襲相続人が存在	○	○		○	○	○	○		○	○	○	○	○	○	○
(8) 兄弟姉妹の代襲相続			○												○
(9) 同時死亡															
(10) 相続人の相続開始後の死亡															
(11) 身分関係が重複		○							○	○		○			
(12) 指定相続分															
(13) 法定相続人の数の算入制限						○							○		

ロ　過去の出題内容の傾向と分析

血族相続人の順位については、最もノーマルで問題が作りやすい第１順位の出題がやはり圧倒的に多くなっているが、第３順位も稀に出題されている。

③　納税義務者について

イ　過去の出題内容

内　容　＼　回　数	第59回	第60回	第61回	第62回	第63回	第64回	第65回	第66回	第67回	第68回	第69回	第70回	第71回	第72回	第73回
1　法施行地に住所を有しない者が存在	○	○	○		○		○		○						
2　特定納税義務者					○				○						
3　納税義務者に関する個別論点															
(1)　公益法人等	○												○		
(2)　外国からの留学生															
(3)　海外出張															
4　財産の所在	○		○												

ロ　過去の出題内容の傾向と分析

法施行地に住所を有しない者の取扱いについては、平成29年度の改正において納税義務を負う範囲が拡大されたことにより、第66回以前の本試験問題と第67回以後の本試験とでは論点が異なることとなった。

新法適用後における本試験は実施回数が少ないため、出題傾向を分析するのは困難である。

したがって、法施行地に住所を有しない者に関連する項目すべてについて対策をたてておく必要がある。

④　みなし財産について

イ　過去の出題内容

内容＼回数	第59回	第60回	第61回	第62回	第63回	第64回	第65回	第66回	第67回	第68回	第69回	第70回	第71回	第72回	第73回
1　生命保険金等	○	○	○	○	○	○	○	○	○	○	○	○	○	○	○
(1) 本来の相続財産である保険金															
(2) 契約者貸付金等がある場合				○						○		○	○		
(3) 受取人が既に死亡している場合															
(4) 雇用主が保険料を負担している場合															
(5) 過去に権利課税を受けている場合の負担割合															
(6) 定期金で支払われる保険金	○									○			○		
(7) 贈与により取得したものとみなされる保険金							○								
2　退職手当金等	○	○		○	○	○	○	○		○	○				
(1) 退職手当金等の実質判定															
(2) 弔慰金等の取扱い	○	○		○	○	○	○	○			○				
(3) 退職手当金支給目的の保険契約															
(4) 退職年金の継続受給権															
(5) 生前退職に係る退職手当金等															
(6) 定期金で支払われる退職手当金															
(7) 相続開始時において支給期の到来していない給与等	○														
3　生命保険契約に関する権利				○	○	○	○	○	○	○		○	○	○	
(1) 本来の相続財産となる場合								○						○	
(2) 掛捨保険契約							○			○			○		
(3) 振替貸付に係る保険料がある場合															
4　定期金に関する権利															
5　契約に基づかない定期金に関する権利															
6　保証期間付定期金に関する権利								○				○			
7　特別障害者扶養信託契約に基づく信託受益権															
8　低額譲受益・債務免除益					○		○						○		
9　その他の利益の享受															
(1) 婚姻の取消し又は離婚により財産の取得があった場合															

内　容 ＼ 回　数	第59回	第60回	第61回	第62回	第63回	第64回	第65回	第66回	第67回	第68回	第69回	第70回	第71回	第72回	第73回
(2) 負担付遺贈による利益 (3) 借地権の目的となっている土地をその借地権者以外の者が取得し地代の授受が行われないこととなった場合															

ロ　過去の出題内容の傾向と分析

みなし財産の出題は、過去においても、現在においても、みなし相続･遺贈財産たる「生命保険金等」、「退職手当金等」及び「生命保険契約に関する権利」に集中しているのが特徴である。

したがって、この３つの財産に関しては、「基本通達」に収録されている内容も含めてマスターしておく必要があるといえる。

⑤ 相続税の課税価格の計算について

イ 過去の出題内容

内容 ＼ 回数	第59回	第60回	第61回	第62回	第63回	第64回	第65回	第66回	第67回	第68回	第69回	第70回	第71回	第72回	第73回
1 遺産は分割されていない															
(1) みなし財産等の資料中に未分割遺産に該当するものがある															
(2) 未分割遺産中に小規模宅地等の特例又は立木の評価の適用を受けるものがある															
(3) 特別受益の対象となる制限納税義務者が取得した在外財産															
(4) 特別受益の対象となる財産中に小規模宅地等の特例又は立木の評価の適用を受けているものがある															
(5) 特別受益の対象となる財産中に贈与税の配偶者控除の適用を受けているものがある															
(6) 生前贈与財産のうちに特別受益の対象とならないみなし贈与財産の信託受益権がある															
2 相続税の非課税財産	○	○	○	○	○	○	○	○	○	○	○	○	○	○	○
(1) 墓地、祭具等					○		○	○							
(2) 相続人の取得した生命保険金等	○	○	○	○	○	○	○	○	○	○	○	○	○	○	○
(3) 相続人の取得した退職手当金等	○	○		○	○	○	○	○		○	○				
(4) 国等に贈与した場合の非課税等	○								○				○		○
① 贈与財産															
イ 本来の相続・遺贈財産									○						
ロ みなし相続・遺贈財産											○				
ハ 生前贈与財産															
ニ 香典返しに代えてする寄附															
ホ 申告期限後に贈与									○						
② 贈与先															
イ 国											○				
ロ ○○市（又は市役所）															○
ハ 独立行政法人															
ニ 日本赤十字社															
ホ 学校法人															
ヘ 社会福祉法人															

内容＼回数	第59回	第60回	第61回	第62回	第63回	第64回	第65回	第66回	第67回	第68回	第69回	第70回	第71回	第72回	第73回
ト　公益財団法人									○						
チ　宗教法人													○		
リ　科学技術に関する試験研究を主たる目的とする法人															
ヌ　特定公益法人等の設立のため	○												○		
ル　母の会（人格のない社団）															
(5) 特定公益信託の信託財産として支出した場合															
3　相続時精算課税及び贈与税額控除		○		○	○	○	○	○	○	○	○				
相続又は遺贈により財産を取得していない者に対する贈与					○				○						
4　債務控除	○	○	○	○	○	○	○	○	○	○	○	○	○	○	○
(1) 債務の負担は未確定															
(2) 債務の論点															
①　法施行地に住所を有しない者も負担															
②　債務の細目															
イ　非課税財産に係る債務	○						○								
ロ　相続財産に関する費用															
ハ　公租公課				○		○	○	○	○	○	○		○		
ニ　保証債務・連帯債務					○		○								
ホ　消滅時効の完成した債務															
ヘ　邦貨換算															
(3) 葬式費用の論点															
①　放棄した者も負担												○			○
②　控除できる葬式費用の細目		○	○	○	○	○	○	○	○	○	○		○	○	○
5　生前贈与加算及び贈与税額控除	○	○	○	○	○	○	○	○	○	○	○	○			
(1) 相続又は遺贈により財産を取得していない者に対する贈与			○	○	○		○								
(2) 課税対象外となる財産															
(3) 相続又は遺贈により国外財産しか取得していない制限納税義務者		○													
(4) 特別障害者扶養信託契約															
(5) 贈与税の配偶者控除	○											○			
(6) 贈与税の申告納付をしていない場合															

内容 ＼ 回数	第59回	第60回	第61回	第62回	第63回	第64回	第65回	第66回	第67回	第68回	第69回	第70回	第71回	第72回	第73回
(7) 相続開始年分の贈与				○	○	○	○	○	○						
(8) 住宅取得等資金の非課税											○		○		
(9) 教育資金・結婚子育て資金の非課税												○			
6 その他の論点															
(1) 従たる権利															
(2) 譲渡担保												○			
(3) 負担付遺贈												○			
(4) 代償分割															
(5) 災害減免法による特例															

ロ　過去の出題内容の傾向と分析

近年において最も出題量及び出題内容が容易になってきたのが、このテーマである。過去の税理士試験においては、これらのテーマは計算問題の中心を占めてきたのであるが、出題内容が一巡した時点で急激に出題量が減少してきたのである。こういった傾向は他のテーマについても同様にいえることであるが、あるテーマについての出題は、その論点とされる部分の出題が一巡すると減少し、他のテーマに出題が移るのであるが、しばらくしてそのテーマに関する出題に行き詰まると、また元の出題テーマに出題が戻ってくるのである。これが、よくいわれる「～年周期」説の理由となっている。

なお、このテーマに関する出題は、近年、新しいタイプの出題はなされていないため、ここで取り上げた項目に関しては、確実に処理することができるようにしておかなければならない。

⑥　納付すべき相続税額の計算について

イ　過去の出題内容

内容＼回数	第59回	第60回	第61回	第62回	第63回	第64回	第65回	第66回	第67回	第68回	第69回	第70回	第71回	第72回	第73回
1　相続税額の加算	○	○	○		○	○	○	○		○	○	○	○	○	○
2　贈与税額控除（暦年課税分）	○	○	○	○	○	○	○	○	○	○	○	○	○		
3　配偶者に対する相続税額の軽減	○	○	○	○		○	○		○	○	○	○	○	○	○
(1)　一般的な形式	○	○	○	○		○	○		○	○	○	○	○	○	○
(2)　遺産が未分割である															
4　未成年者控除					○	○	○			○		○	○	○	○
(1)　一般的な形式					○	○				○		○	○	○	
(2)　制限納税義務者のため適用なし															
(3)　既に控除の適用を受けている															
(4)　法定相続人でないため適用なし					○		○						○		○
5　障害者控除				○	○		○	○	○		○	○	○		
(1)　一般的な形式				○	○		○				○		○		
(2)　既に控除の適用を受けている								○				○			
(3)　障害の程度が変化している															
(4)　扶養義務者から控除する									○						
6　相次相続控除								○							
7　在外財産に対する相続税額の控除															
8　贈与税額控除（精算課税分）	○	○		○		○	○	○			○				

ロ　過去の出題内容の傾向と分析

このテーマに関しては、相続税額の加算、贈与税額控除、配偶者に対する相続税額の軽減、未成年者控除及び障害者控除のように頻繁に出題される項目と、相次相続控除及び在外財産に対する相続税額の控除のように数年から10数年に１回程度の割合で出題される項目とに区分することができる。

頻繁に出題される項目については、出題のパターンが固定化されており、常に同じ論点を中心としているので、その論点を確実にこなせるように練習を積んでおけば対策としては十分であろう。

また、めったに出題されていない項目に関しては、特殊な論点で、かつ十分な時間が残されていない段階で処理する論点であったため、まったく手を付けなくても合否には影響がなかった。したがって、これらの項目については、対策を考えるというよりは、時間が余ったときに手を付けてみようという程度に考えておいたほうがよいであろう。

⑦ 財産評価について

イ 過去の出題内容

内容＼回数	第59回	第60回	第61回	第62回	第63回	第64回	第65回	第66回	第67回	第68回	第69回	第70回	第71回	第72回	第73回
1 総則															
邦貨換算		○	○				○			○					○
2 宅地及び宅地の上に存する権利	○	○	○	○	○	○	○	○	○	○	○	○	○	○	○
(1) 資料の与え方															
① 評価の必要なし															
② 路線価方式又は倍率方式	○		○	○	○	○	○	○	○	○	○	○	○	○	○
③ 自用地の価額又は自用のものとしての時価が与えられている															
④ 与えられた価額から選択															
(2) 出題された論点															
① 一画地の宅地				○	○	○			○			○		○	○
② 側方路線影響加算	○			○	○	○	○	○		○	○	○	○	○	○
③ 二方路線影響加算		○				○		○					○	○	
④ 間口が狭小な宅地等							○								
⑤ 奥行が長大な宅地等							○				○		○		
⑥ がけ地等を有する宅地					○		○				○				
⑦ 不整形地		○		○	○		○			○		○			○
⑧ 無道路地			○												
⑨ 容積率の異なる地域にわたる宅地			○												
⑩ セットバックを必要とする宅地								○			○				
⑪ 都市計画道路予定地の区域内にある宅地										○					
⑫ 区分地上権が設定されている宅地													○		
⑬ 私 道														○	
⑭ 広大地										平成29年度の改正により廃止					
⑮ 地積規模の大きな宅地	平成29年度の改正により新設													○	○
⑯ 造成中の宅地											○				
⑰ 賃貸借				○	○	○	○		○		○		○	○	
⑱ 相当の地代	○														
⑲ 土地の無償返還に関する届出書						○	○	○			○	○			○
⑳ 使用貸借		○					○				○			○	

内容 ＼ 回数	第59回	第60回	第61回	第62回	第63回	第64回	第65回	第66回	第67回	第68回	第69回	第70回	第71回	第72回	第73回
㉑ ビルの敷地		○	○		○				○			○			
㉒ 共有財産											○		○	○	
㉓ 分譲マンション															
㉔ 定期借地権															○
㉕ 正面路線に2つの路線価がついている宅地								○							
㉖ 区分所有財産		○					○								
㉗ 法施行地外に所在する宅地		○													
3 農地及び農地の上に存する権利				○	○		○		○						
4 山林及び山林の上に存する権利															
5 家屋及び家屋の上に存する権利	○	○	○	○	○	○	○	○	○	○	○	○	○	○	
(1) 資料の与え方															
① 倍率方式	○	○	○	○	○	○	○	○	○	○	○	○	○	○	
② 自用家屋の価額又は自用のものとしての時価が与えられている															
(2) 出題された論点															
① 構造上一体となっている設備						○									
② 賃貸借		○	○	○	○	○			○		○	○	○		
③ 使用貸借					○						○				
④ 共有財産														○	
⑤ 区分所有財産		○					○								
⑥ ビル		○	○		○				○			○			
⑦ 賃貸割合		○													
⑧ 配偶者居住権等	令和2年度の改正により新設												○	○	
6 小規模宅地等の特例	○	○	○	○	○	○	○	○	○	○	○	○	○	○	○
(1) 特例対象宅地等の数	3	2	3	2	3	3	2	3	5	2	3	4	4	2	2
(2) 特例対象宅地等のパターン															
① 被相続人の事業用	○	○	○	○	○		○	○	○	○	○	○	○		○
② 被相続人の居住用		○	○	○	○	○	○	○	○	○	○	○	○	○	
③ 生計を一にする親族の事業用															
④ 生計を一にする親族の居住用															
(3) 適用割合															
① 特定事業用宅地等	○		○									○	○		
② 特定居住用宅地等		○	○	○	○	○	○	○	○	○	○	○	○	○	

内　容 ＼ 回　数	第59回	第60回	第61回	第62回	第63回	第64回	第65回	第66回	第67回	第68回	第69回	第70回	第71回	第72回	第73回
③　特定同族会社事業用宅地等						○	○	○			○		○		
④　貸付事業用宅地等	○	○	○	○	○	○		○	○	○	○	○	○	○	○
⑤　非同居親族が取得した居住用宅地等															
(4) 特殊な選択パターン															
①　相続税額の加算を考慮															
②　配偶者に対する相続税額の軽減を考慮															
(5) 個別論点															
①　生計を一にする者の範囲															
②　青空駐車場	○														
③　寄宿舎の敷地															
④　法施行地外に所在する宅地															
7　特定計画山林の特例															
8　立木の評価						○									
(1) 相続人又は包括受遺者が取得															
(2) 相続人及び包括受遺者以外の者が取得						○									
9　上場株式	○	○				○			○	○		○	○		
(1) 原　則（(2) ～ (5) 以外）															
(2) 課税時期が新株式の割当の基準日の翌日以後である場合									○				○		
(3) 課税時期が配当金交付の基準日の翌日以後である場合						○									
(4) 課税時期が新株権利落の日から新株式の割当の基準日までの間にある場合															
(5) 2以上の金融商品取引所に上場されている場合	○	○				○			○						
(6) 課税時期に最終価格がない場合		○											○		
10　取引相場のない株式	○	○	○	○	○	○	○	○	○	○	○	○	○	○	○
(1) 原則的評価方式を適用する場合	○	○	○	○	○	○	○	○	○	○	○	○	○	○	○
(2) 特例的評価方式を適用する場合						○	○					○	○		○
(3) 土地保有特定会社の株式															
(4) 株式等保有特定会社の株式															
(5) 比準要素数1の会社の株式															○

内　容 ＼ 回　数	第59回	第60回	第61回	第62回	第63回	第64回	第65回	第66回	第67回	第68回	第69回	第70回	第71回	第72回	第73回
(6) 1株当たりの類似業種比準価額	○		○		○	○	○	○	○	○	○		○	○	○
(7) 1株当たりの純資産価額	○	○		○	○	○	○	○	○	○	○		○	○	○
(8) 配当還元価額						○	○						○		○
(9) 法人株主		○													
11　出　資															
12　公社債															
(1) 利付債											○				
(2) 割引債															
(3) 転換社債										○		○			
(4) 外国債		○													
13　証券投資信託の受益証券											○				
14　預貯金						○	○	○	○						
(1) 定期預金									○						
(2) 定期預金（中間利払付）															
(3) 定額郵便貯金															
(4) 普通預金								○							
(5) 外貨普通預金							○								
15　貸付金債権等												○		○	
(1) 中間利払いがあるもの								○							
(2) 利息が全額後払いのもの															
16　受取手形															
17　ゴルフ会員権						○					○				
(1) 相場があるもの						○									
(2) 相場がないもの										○	○				
(3) 株主であり、かつ、預託金等を支払わなければ会員となれないもの											○				
(4) 預託金等を支払わなければ会員となれないもの															
(5) 単にプレーができるだけのもの										○					
18　定期金の評価										○			○		
(1) 有期定期金										○			○		
(2) 終身定期金															
(3) 期間付終身定期金															

内容＼回数	第59回	第60回	第61回	第62回	第63回	第64回	第65回	第66回	第67回	第68回	第69回	第70回	第71回	第72回	第73回
19　生命保険契約に関する権利の評価						○		○					○	○	
(1) 保険料の全額が一時払															
(2) (1) 以外						○									
(3) 保険金の一部が支払われている場合															
(4) 災害特約が付されている場合															
(5) 保険金の支払方法を年金と一時金で選択できる場合															
20　信託受益権の評価															

ロ　過去の出題内容の傾向と分析

近年の税理士試験相続税法の計算問題で最も主要な論点を占めているのが、このテーマである。また、そのうちでも出題頻度が高いのが、次の４点である。

(イ) 宅地及び宅地の上に存する権利並びに家屋の評価（小規模宅地等の特例を含む。）

(ロ) 株式（上場株式、取引相場のない株式）の評価

(ハ) 公社債、受益証券等の有価証券の評価

(ニ) 預貯金の評価

そのうちでも最も注意すべき事項は、(イ)及び(ロ)の論点である。特に「取引相場のない株式」については、特殊論点の出題はひと回りした感はあるが、引き続き過去の出題論点についての対策をとっておく必要がある。

このテーマに関して対策を立てるとしても、実際には、いろいろなタイプの問題を豊富な量をこなすことが最善であるとしかいえないのである。したがって、「財産評価問題集」を何度も繰り返し解くということが最善の対策であるといえる。

税　率　表

1　贈与税の速算表

(1)　相続税法第21条の７の規定に係る贈与税の速算表

基礎控除後の課税価格	税率	控　除　額	基礎控除後の課税価格	税率	控　除　額
2,000千円以下	10%	―	10,000千円以下	40%	1,250千円
3,000千円以下	15%	100千円	15,000千円以下	45%	1,750千円
4,000千円以下	20%	250千円	30,000千円以下	50%	2,500千円
6,000千円以下	30%	650千円	30,000千円超	55%	4,000千円

(2)　租税特別措置法第70条の２の５の規定に係る贈与税の速算表

基礎控除後の課税価格	税率	控　除　額	基礎控除後の課税価格	税率	控　除　額
2,000千円以下	10%	―	15,000千円以下	40%	1,900千円
4,000千円以下	15%	100千円	30,000千円以下	45%	2,650千円
6,000千円以下	20%	300千円	45,000千円以下	50%	4,150千円
10,000千円以下	30%	900千円	45,000千円超	55%	6,400千円

2　相続税の速算表

法定相続人の取得金額	税率	控　除　額	法定相続人の取得金額	税率	控　除　額
10,000千円以下	10%	―	200,000千円以下	40%	17,000千円
30,000千円以下	15%	500千円	300,000千円以下	45%	27,000千円
50,000千円以下	20%	2,000千円	600,000千円以下	50%	42,000千円
100,000千円以下	30%	7,000千円	600,000千円超	55%	72,000千円

問題編

TAX ACCOUNTANT

問題 1	制限時間　50分
	難易度　A

　被相続人甲の相続人及び受遺者（以下「相続人等」という。）の納付すべき相続税額に関する【資料１】及び【資料２】に基づいて、各相続人等の納付すべき相続税額を計算の根拠を示しながら求めなさい。

　なお、解答は、次に掲げる指示に従って行うこと。

⑴　解答は、答案用紙の所定の箇所に記入する。

⑵　課税価格の計算のうち、小規模宅地等の特例については、答案用紙の１の⑶「小規模宅地等の特例の計算」欄に記入することとし、その特例の適用を受ける財産の答案用紙の「課税価格に算入される金額」欄には、その特例の適用を受ける前の評価額を記入する。

⑶　各相続人等の課税価格に算入する金額の計算に当たって２以上の計算方法がある場合には、設問中に特に指示されている事項を除き、各人の課税価格が最も少なくなる方法を選択するものとする。

⑷　各相続人等の算出相続税額の計算に当たってのあん分割合は、端数を調整しないで計算する。

【資料１】

1　被相続人甲は、株式会社Ｏ社を主宰する会社経営者であったが、令和７年６月25日、交通事故で死亡した。相続人等は全員同日中にその事実を知った。

2　被相続人甲の相続人等の状況は、次に図示するとおりである。

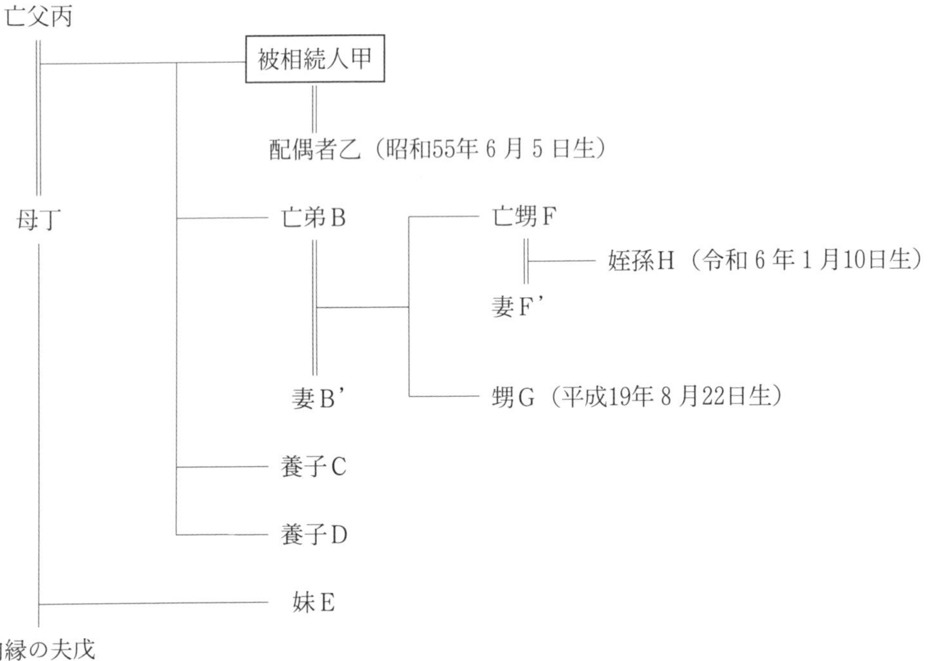

（注）1　被相続人甲は、相続開始時において日本国籍を有する者であり、出生以来東京都Ｖ区に住所を有している。

2　被相続人甲は、昭和55年５月２日生まれであり、生年月日の表示のない者はすべて18歳以上の者である。

3　被相続人甲は、配偶者乙と平成13年７月５日に婚姻した。

4　父丙は平成30年10月27日に、弟Ｂは令和５年４月12日に、甥Ｆは令和６年３月26日にそれぞれ死亡しているが、これらの者の相続に関して相続税の課税関係は生じていない。

5　配偶者乙及び母丁以外の相続人等の相続開始時における住所は、神奈川県Ｗ市である。

6　母丁は、被相続人甲の相続に関して、適法に相続の放棄をしている。

7　養子Ｃは昭和60年３月５日に、養子Ｄは昭和62年６月７日に父丙及び母丁と適法に養子縁組を行った。

3　被相続人甲の遺産に関して判明している事項は次のとおりである。これらの遺産については、令和８年２月10日に共同相続人間で適法に分割の協議が行われ、各相続人は、次のとおり財産を取得した。

なお、遺産のうち宅地Ｌ、定期預金及び普通預金については、被相続人甲が適法な手続きにより作成した公正証書遺言により、母丁に遺贈されており、母丁は遺贈の放棄をしていない。遺贈された宅地Ｌ、定期預金及び普通預金については、後記(3)、(8)及び(9)のとおりである。

（注）1　既経過利子等の額から源泉徴収されるべき税額を計算する必要がある場合の率は、20.315％とする。

2　株式を取得した者は、課税時期においてその株式に関する権利が生じている場合には、その権利も取得しているものとする。

(1)　宅地Ｈ（231㎡）及びその上に存する建物Ｉは、配偶者乙が取得する。

この宅地は、路線価地域（普通住宅地区）に所在し、その地形等は次のとおりである。

なお、宅地Ｈの上に存する建物Ｉ（面積160㎡、固定資産税評価額16,000,000円）は、被相続人甲、配偶者乙及び母丁が居住の用に供していたもので、配偶者乙は相続税の申告期限においても宅地Ｈ及び建物Ｉを所有しており、かつ、居住の用に供している。

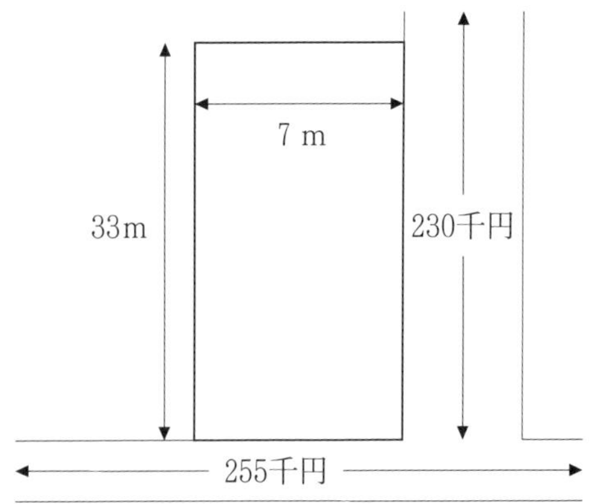

⑵　宅地Ｊ（210㎡）及びその上に存する建物Ｋは、配偶者乙が取得する。

この宅地は、路線価地域（普通住宅地区）に所在し、その地形等は次のとおりである。

なお、宅地Ｊの上に存する建物Ｋ（面積120㎡、固定資産税評価額6,460,000円）は、被相続人甲が平成25年４月から第三者に賃貸借契約により貸し付けているもので、配偶者乙は相続税の申告期限においても宅地Ｊ及び建物Ｋを所有しており、かつ、建物Ｋを第三者に賃貸している。

また、宅地Ｊは、借地権割合60％、借家権割合30％の地域に所在する。

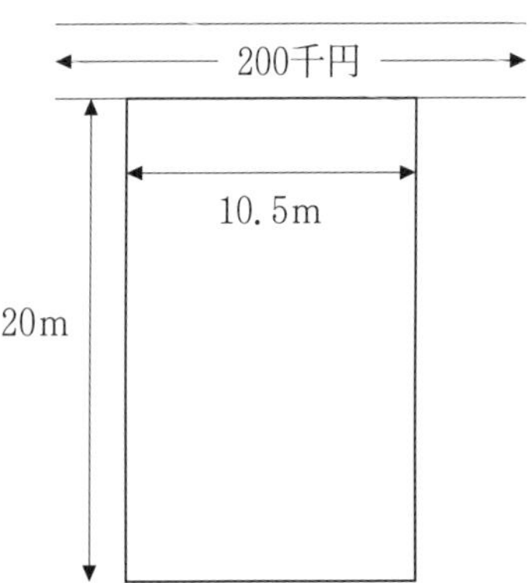

⑶　宅地Ｌ（180㎡）は、母丁に遺贈された。

この宅地Ｌは、路線価地域（普通住宅地区）に所在し、その地形等は次のとおりである。

なお、相続開始時において空地となっている。

また、母丁は相続税の申告期限においても宅地Ｌを所有している。

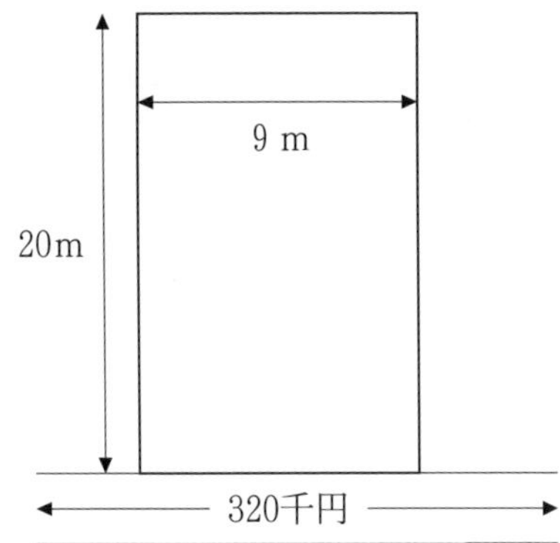

(4) 宅地M（360㎡）は、養子Cが取得する。

この宅地Mは、路線価地域（普通住宅地区）に所在し、その地形等は次のとおりである。

なお、この宅地は、後記O社所有の事務所兼店舗の敷地として、平成15年5月から賃貸借契約によりO社に対し相当の地代で貸し付けていた。また、養子Cは相続税の申告期限においても宅地Mを所有し、O社に対し賃貸しており、O社は同社の事業の用に供している。

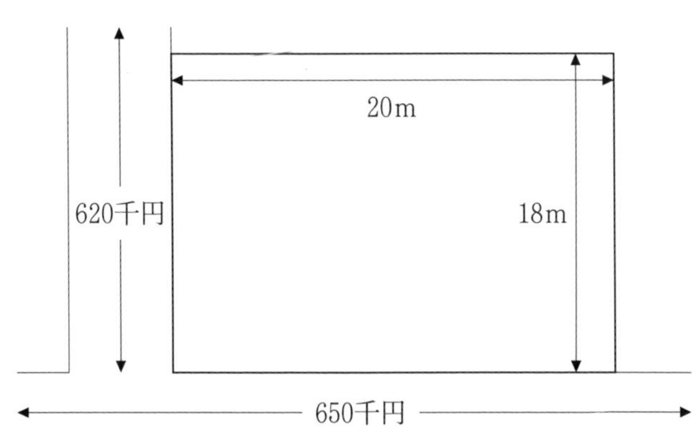

(5) O社の株式100,000株は、養子Cが取得する。

この株式の評価に必要な資料は次のとおりである。

イ　O社の資本金等の額（法人税法第2条第16号に規定する資本金等の金額をいう。）は90,000,000円であり、発行済株式数は450,000株（すべて普通株式であり、議決権は100株につき1個とする。）であり、その株式は「取引相場のない株式」である。

ロ　O社の事業年度は1年で、決算期は3月である。

ハ　相続開始直前の株主の構成は、次表のとおりである。

株主の氏名	保有株式数	株主の氏名	保有株式数
被相続人甲	100,000株	友人Y	120,000株
配偶者乙	50,000株	O社の取引先10名	100,000株
養子C	80,000株	合　　計	450,000株

（注）「O社の取引先10名」は、各人とも相互に同族関係者に該当しない。

ニ　O社は飲食料品小売業を営む会社で、評価上の区分は大会社であり、株式等保有特定会社及び土地保有特定会社のいずれにも該当しない。

ホ　O社の株式の１株の評価額の計算の基礎となる類似業種比準価額は、1,428円である。

ヘ　O社の株式の１株の評価額の計算の基礎となる１株当たりの純資産価額（相続税評価額によって計算した金額）は、1,939円である。

ト　養子CはO社の役員である。

(6)　P社の株式5,000株は、妹Eが取得する。

この株式は、東京証券取引所及び名古屋証券取引所に上場されている株式で、その株価等の状況は次のとおりである。なお、P社は東京に本店を有する会社である。

①　課税時期の最終価格

（東　京）　527円

（名古屋）　528円

②　毎日の最終価格の月平均額

	（東　京）	（名古屋）
令和７年６月の毎日の月平均額	676円	674円
令和７年６月１日から17日までの毎日の月平均額	785円	783円
令和７年６月18日から30日までの毎日の月平均額	530円	531円
令和７年５月の毎日の月平均額	794円	793円
令和７年４月の毎日の月平均額	792円	790円

③　増資の状況

株式の無償交付の基準日　　令和７年６月19日

株式の無償交付数　　株式１株につき0.5株

権利落ちの日　　令和７年６月18日

(7)　貸付金債権は、養子Dが取得する。

この貸付金債権は友人Yに対するもので、その内容は次のとおりである。

①　元本の額　　3,000,000円

② 課税時期現在の既経過利息の額　22,500円

⑻ 定期預金は、母丁に遺贈された。

この定期預金の評価に必要な資料は次のとおりである。

① 預入高　10,000,000円

② 約定期間　2年

③ 既経過日数　511日

④ 満期日の約定利率　年0.30%

⑤ 中間利払利率　年0.25%

⑥ 中途解約利率　年0.21%

⑼ 普通預金は、母丁に遺贈された。

この普通預金の課税時期における残高は1,587,600円であり、課税時期現在の既経過利子の額は12円（源泉徴収税額控除前）である。なお、この既経過利子の額は、少額なものに該当する。

⑽ 家庭用財産（時価400,000円）は、配偶者乙が取得する。

⑾ その他の流動資産56,000,000円は、各相続人が民法第900条〔法定相続分〕及び第901条〔代襲相続分〕の規定による相続分で取得する。

4 被相続人甲に係る債務は次のとおりであり、すべて配偶者乙が負担した。

⑴ 遺言執行費用　1,200,000円

⑵ 銀行からの借入金　3,000,000円

⑶ 保証債務　6,000,000円

この保証債務は、友人Ｚの銀行からの借入金6,000,000円について保証人となっていたものである。なお、相続開始時において友人Ｚの資産状態は良好である。

5 被相続人甲の葬式に要した費用は次のとおりであり、すべて配偶者乙が負担した。なお、受けた香典の金額は、4,100,000円であった。

⑴ 通夜・葬式費用　5,664,000円

⑵ 香典返しの費用　1,500,000円

⑶ 遺体解剖費用　120,000円

6　上記のほか、相続税の申告書の提出期限までに、次の事項が判明している。

(1)　被相続人甲の死亡を保険事故とした生命保険契約に基づき支払われた生命保険金は、次のとおりである。なお、各生命保険契約の契約者は被相続人甲であり、保険料は被相続人甲が全額負担している。また、各保険会社は、日本国内に本店のある保険会社である。

保険金受取人	保険金額	払込済保険料	備考
配偶者乙	20,000,000円	3,000,000円	（注）
配偶者乙	35,000,000円	6,000,000円	
妹Ｅ	25,000,000円	10,000,000円	

（注）この保険契約の保険金20,000,000円は年額2,000,000円を10年間にわたり利息を付して支給されるものである。

(2)　被相続人甲の相続開始時において、次の定期金給付契約（生命保険契約ではない。）があった。

①　契約者　　　　　　配偶者乙

②　定期金受取人　　　配偶者乙

③　給付事由　　　　　配偶者乙が65歳に達すること

④　受給する金額　　　年1,500,000円

⑤　保証期間　　　　　10年

⑥　掛金の払込開始時期　平成28年４月20日

⑦　払込掛金総額　　　3,000,000円

⑧　掛金負担者等　　　被相続人甲及び配偶者乙が各２分の１ずつ

⑨　解約返戻金の額　　3,200,000円

(3)　被相続人甲の死亡後、Ｏ社は、退職手当金50,000,000円と弔慰金4,000,000円を配偶者乙に対して支給した。なお、被相続人甲の最終月額報酬は500,000円であり、業務上の死亡には該当しない。

⑷　被相続人甲の相続人等は、相続開始前に被相続人甲から次のとおり贈与を受けており、令和６年分までの贈与税の申告及び納税が必要なものについては、適法に済ませている。

なお、受贈者はいずれも被相続人甲以外の者からの贈与を受けていない。

贈与年月日	受贈者	受贈財産	贈与時の時価
令和５年10月10日	配偶者乙	現金	6,000,000円
令和６年８月29日	妹　　Ｅ	別荘及び別荘地	15,000,000円
令和７年２月３日	母　　丁	現金	8,000,000円

【資料２】

宅地の価額を求める場合における奥行価格補正率等（普通住宅地区）（抜粋）

⑴　奥行価格補正率

４ｍ未満：0.90　　４ｍ以上６ｍ未満：0.92　　６ｍ以上８ｍ未満：0.95

８ｍ以上10ｍ未満：0.97　　10ｍ以上24ｍ未満：1.00　　24ｍ以上28ｍ未満：0.97

28ｍ以上32ｍ未満：0.95　　32ｍ以上36ｍ未満：0.93

⑵　側方路線影響加算率

角地：0.03　　準角地：0.02

⑶　間口狭小補正率

６ｍ以上８ｍ未満：0.97

⑷　奥行長大補正率

２以上３未満：0.98　　４以上５未満：0.94

⇨解答：88ページ

問題２	制限時間　75分
	難易度　Ｂ

被相続人甲の相続人及び受遺者の納付すべき相続税額に関し、それらの者から提供のあった資料は下記〔資料１〕のとおりである。〔資料１〕と奥行価格補正率等を掲げた〔資料２〕により、各相続人及び受遺者（以下「相続人等」という。）の納付すべき相続税額を、計算過程を示して求めなさい。

なお、相続税額の計算に当たって２以上の計算方法がある場合には、納付すべき相続税額の合計額が最も少なくなる方法を選択するものとし、各人の算出相続税額の計算に当たってのあん分割合は端数を調整しないで計算することとする。

また、相続人等はいずれも相続税の納税猶予の適用は受けないものとして解答すること。

〔資料１〕

1　被相続人甲は、令和７年11月29日長野県Ｇ市内の病院で病気により死亡し、相続人等はすべて同日その事実を知った。

2　被相続人甲の相続人等の状況は、次の図に示すとおりである。

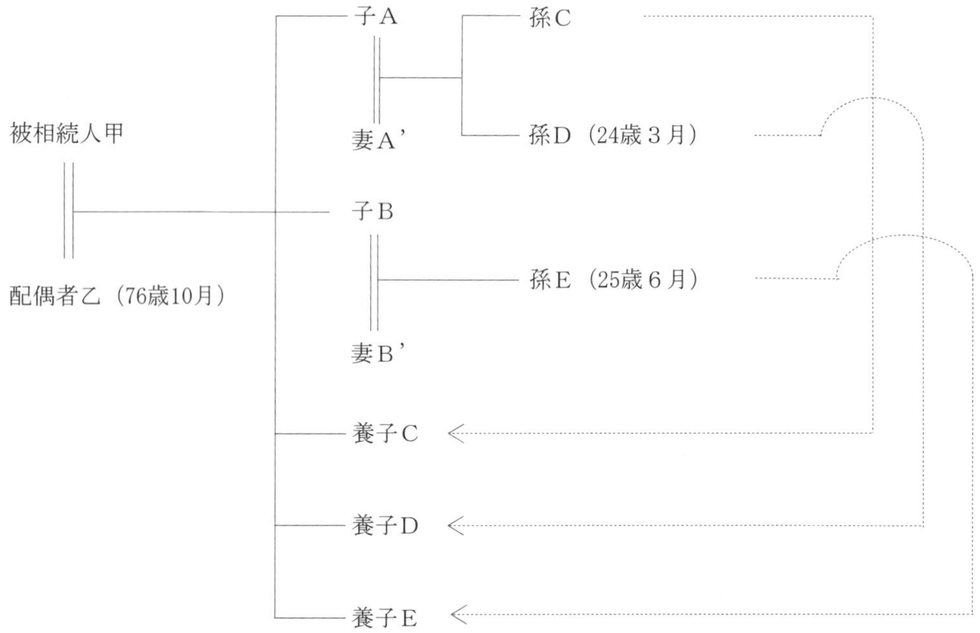

（注）1　被相続人甲の死亡時において、相続人等はすべて日本国内に住所を有しており、相続開始以前に日本以外に住所を有していたことはない。

2　年齢は被相続人甲の死亡時のもので、年齢表示のない者はすべて18歳以上である。

3　被相続人甲の死亡に係る相続について、子Ｂは家庭裁判所に申述し、適法に相続の放棄をしている。

4　子Ａは被相続人甲の死亡以前に既に死亡しているが、その死亡についての相続税の課税関係は生じていない。

5　孫Ｃ、孫Ｄ及び孫Ｅは、それぞれ出生と同時に被相続人甲及び配偶者乙と適法に養子縁組をしている。

6　孫Ｄは特定障害者（特別障害者以外の障害者に該当する。）である。

3　被相続人甲の遺産等は、被相続人甲が適法に作成した自筆証書遺言に基づき、それぞれ以下のとおり受遺者に遺贈されている。なお、受遺者のうち遺贈を放棄した者はいない。

（注）　宅地（宅地の上に存する権利を含む。）及び家屋はすべて借地権割合が60％、借家権割合が30％である地域に所在しているものとする。

(1) 配偶者乙が取得した財産

①　Ｆ市所在の宅地300㎡

この宅地は、路線価方式適用地域（普通商業・併用住宅地区）に所在し、その地形等は次のとおりである。

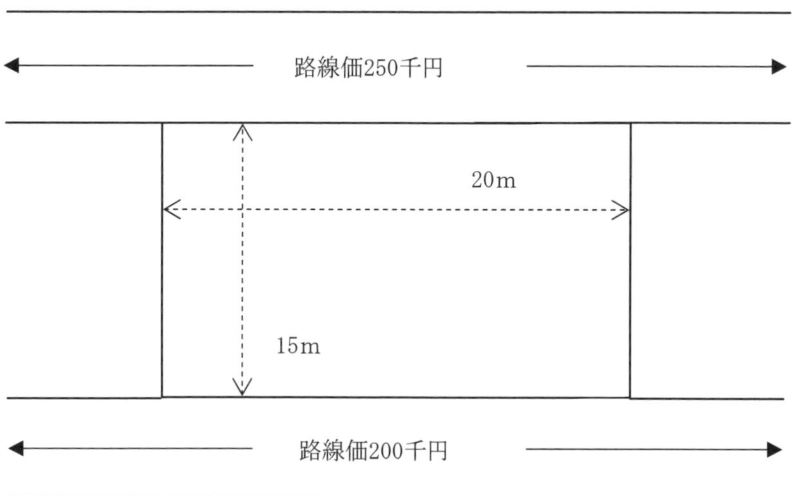

②　Ｆ市所在の家屋330㎡（固定資産税評価額20,000,000円）

この家屋は、①の宅地の上に建てられている家屋で、令和２年から月額12万円で貸し付けられていた。この家屋の貸し付けについて、敷金の授受はなく、家賃は各月分を前月末日までに支払うこととされており、相続開始時に未収はない。配偶者乙は相続税の申告期限までにその貸し付けを継承し、同期限まで貸し付けを継続している。

③　G市所在の宅地270㎡の共有持分２分の１

この宅地は、路線価方式適用地域（普通商業・併用住宅地区）に所在し、その地形等は次のとおりである。

この宅地の上には、令和４年12月に配偶者乙が被相続人甲から贈与によりその持分の２分の１を取得した下記７の家屋があり、この家屋には生計を一にする被相続人甲、配偶者乙、妻A'、養子C及び養子Dが居住していた。被相続人甲以外の者は、甲の死亡後も引き続き居住している。

なお、被相続人甲と配偶者乙との間で地代及び家賃の授受は行われていなかった。

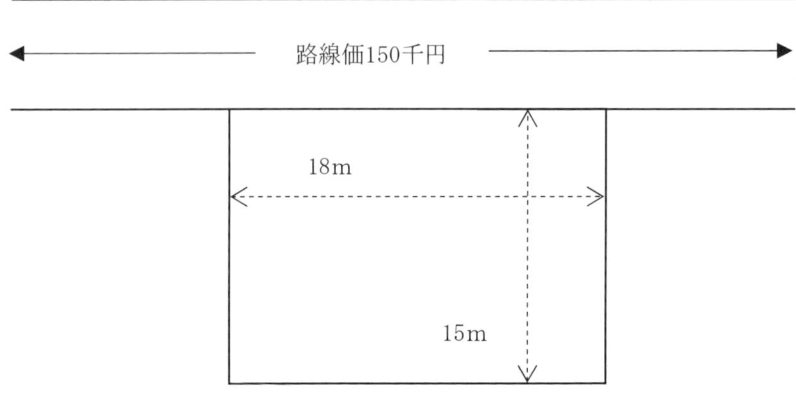

④　H株式会社の株式　10,000株

この株式は、東京証券取引所スタンダード市場に上場されている株式で、株価等の状況は次のとおりである。

イ　課税時期の最終価格

11月24日	405円	11月25日	休日	11月26日	休日	11月27日	401円
11月28日	400円	11月29日	336円	11月30日	338円	12月１日	340円

ロ　毎日の最終価格の月平均額

令和７年11月の毎日の最終価格の月平均額	411円
令和７年11月１日から28日までの毎日の最終価格の月平均額	415円
令和７年11月29日から30日までの毎日の最終価格の月平均額	337円
令和７年10月の毎日の最終価格の月平均額	420円
令和７年９月の毎日の最終価格の月平均額	418円

ハ　株式無償交付の基準日　　令和７年11月30日

ニ　株式無償交付の効力が発生する日　　令和８年１月30日

ホ　交付する株式の数　　株式１株に対し0.2株を交付

ヘ　権利落ちの日　　令和７年11月29日

⑤　車両運搬具

この財産の評価に必要な資料は次のとおりである。

イ　取得価額　2,100,000円

ロ　同種同規格の新品の課税時期における小売価額　2,000,000円

ハ　製造時から課税時期までの期間の定額法による償却費の合計額　700,000円

ニ　製造時から課税時期までの期間の定率法による償却費の合計額　1,112,600円

問題2

問題

(2) 子Bが取得した財産

①　I市所在の宅地200㎡（固定資産税評価額20,000,000円）

この宅地は、倍率方式で評価することとされており、その倍率は1.5である。

②　I市所在の家屋150㎡（固定資産税評価額15,999,000円）

この家屋は、上記①の宅地の上に建てられているもので、被相続人甲の別荘の用に供されていた。なお、この家屋の遺贈については養子Eの銀行からの借入金1,000,000円を負担することが条件となっている。

③　J株式会社（以下「J社」という。）の株式　9,000株

この株式の評価に必要な資料は、次のとおりである。

イ　J社の資本金等の額は1,500万円、発行済株式数（すべて普通株式であり、議決権は100株につき1個である）は30,000株である。

ロ　J社の事業年度は1年で、決算期は10月31日である。

ハ　J社は物品販売業を営む会社で、その株式は取引相場のない株式であり、その評価上の区分は中会社で、Lの割合は0.75である。

ニ　株主の構成（被相続人甲の株式を相続人等が取得する直前の状況である。）は、次のとおりである。

被相続人甲	10,000株
甲の友人丙及びその同族関係者	10,000株
甲の友人丁及びその同族関係者	10,000株

ホ　類似業種の比準要素は、次のとおりである。

類似業種の株価

令和７年11月	321円	令和７年９月	311円
令和７年10月	319円	令和６年平均	312円
課税時期の属する月以前２年間の平均			310円

令和７年の類似業種の１株当たりの配当金額　4.0円

令和７年の類似業種の１株当たりの年利益金額　28円

令和７年の類似業種の１株当たりの純資産価額
（帳簿価額によって計算した金額）　226円

ヘ　Ｊ社の比準要素の基となる金額は、次のとおりである。

直前期における年配当金額	2,000,000円
直前々期における年配当金額	1,000,000円
直前期末以前１年間における利益金額	9,000,000円
直前々期末以前１年間における利益金額	11,000,000円
直前期末における純資産価額（帳簿価額によって計算した金額）	66,000,000円

ト　課税時期におけるＪ社の１株当たり純資産価額（相続税評価額によって計算した金額）は、2,210円である。

(3) 養子Ｃが取得した財産

①　Ｇ市所在の宅地270㎡の共有持分２分の１

この宅地は、上記(1)③の宅地であり、養子Ｃは申告期限においてもこの宅地を所有している。

②　Ｇ市所在の家屋200㎡の共有持分２分の１（固定資産税評価額30,000,000円）

この家屋は、上記(1)③の宅地の上に建てられている家屋である。相続開始後、配偶者乙と養子Ｃとの間で地代及び家賃の授受は行われていない。

(4) 養子Ｅが取得した財産

①　Ｋ市所在の山林2.2ha（固定資産税評価額500,000円）

この山林は、倍率方式で評価することとされており、その倍率は3.0倍である。

②　①の山林に生立する立木（ひのき）

この立木の評価に必要な資料は次のとおりである。

イ	標準価額	525,000円
ロ	地味級割合	1.0
ハ	地利級割合	1.2
ニ	立木度割合	0.8

③　Ｊ社株式　1,000株

この株式は上記(2)③の株式である。なお、養子Ｅは申告期限までにＪ社の役員に就任していない。

4　上記３の遺贈財産以外の被相続人甲の遺産等は次のとおりである。これらについては、相続税の申告期限までに共同相続人による分割の協議は調っておらず、下記６以降に被相続人甲の遺産に該当するものがあればそれは含まれていない。

(注)　宅地（宅地の上に存する権利を含む。）及び家屋はすべて借地権割合が70％、借家権割合

が30%である地域に所在しているものとする。

(1) M市所在の宅地　182㎡

この宅地は、路線価方式適用地域（普通商業・併用住宅地区）に所在し、その地形等は次のとおりである。

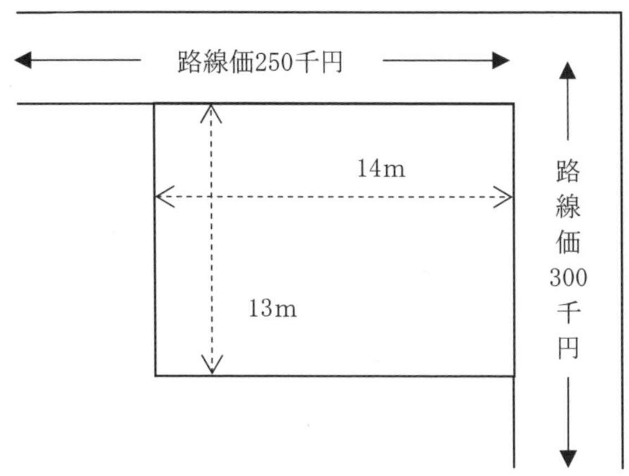

(2) M市所在の家屋　150㎡（固定資産税評価額12,000,000円）

この家屋は、(1)の宅地の上に建てられているもので、月額15万円で第三者に貸し付けられており、未収の家賃はない。

なお、被相続人甲はこの家屋の貸し付けについて賃借人から敷金300,000円を預かっていた。

(3) N株式会社（以下「N社」という。）の株式　5,000株

この株式の評価に必要な資料は、次のとおりである。

① N社の資本金等の額は1,000万円、発行済株式数（すべて普通株式であり、議決権は1株につき1個である）は5,000株である。

② N社の事業年度は1年で、決算期は3月31日である。

③ N社は卸売業を営む会社で、その株式は取引相場のない株式であり、その評価上の区分は大会社である。

④ 株主の構成（相続開始直前の状況である。）は、次のとおりである。

被相続人甲　5,000株

⑤ 1株当たりの類似業種比準価額　2,512円

⑥ 課税時期の1株当たり純資産価額（相続税評価額によって計算した金額）　2,650円

⑦ 1株当たりの配当還元価額　300円

(4) 被相続人甲の相続開始時における債務は次のとおりである。

① 銀行借入金 2,500,000円

② 令和７年分所得税の準確定申告分 3,000,000円

③ 令和７年度固定資産税 1,200,000円

④ M市所在の家屋に係る敷金 300,000円

5 被相続人甲の葬式等に要した費用は次のとおりであり、これらはすべて配偶者乙が立替払していたが、相続税の申告期限までに誰が負担するかは確定していない。

(1) 通夜の費用 1,900,000円

(2) 葬式の費用 1,000,000円

(3) 香典返しの費用 1,200,000円

(4) 菩提寺へのお布施 300,000円

(5) 初七日の法事の費用 1,800,000円

6 上記のほか、相続税の申告書の提出期限までに、次の事項が判明している。

(1) 被相続人甲の死亡後、J社及びN社からそれぞれ以下の退職手当金が支給されたが、申告期限までに取得者は定まっていない。なお、被相続人甲が受けるべきであった賞与で甲の死亡後に確定したもの600,000円があるが、これについても取得者は定まっていない。

① J社からの退職手当金 30,000,000円

この退職手当金は、被相続人甲の死亡退職に伴い支払われたものであり、その支給額については令和７年12月８日に確定した。

② N社からの退職手当金 15,000,000円

この退職手当金は、被相続人甲が生前にN社を退職したことに伴い支払われたものであり、その支給額については令和７年５月に確定していた。

(2) 被相続人甲が保険料の一部又は全部を負担していた生命保険契約は次のとおりである。これらの生命保険契約は、日本国内に本店のある保険会社で締結されている。

保険金受取人	保険契約者	被保険者	保険金額	保険料負担者	(注)
配偶者乙	被相続人甲	被相続人甲	年1,000,000円	被相続人甲　全額	1
養子D	被相続人甲	被相続人甲	52,000,000円	被相続人甲　２分の１ 配偶者乙　２分の１	2
養子D	配偶者乙	配偶者乙	40,000,000円	被相続人甲　２分の１ 配偶者乙　２分の１	3
養子E	被相続人甲	子B	20,000,000円	被相続人甲　全額	4

(注) 1 保険金受取人である配偶者乙の生存中、毎年12月20日に保険金を支給する契約である。なお、定期金に代えて一時金を受ける場合の一時金の金額は13,000,000円であるが、配偶者乙は定期金で給付を受けることとした。

2　養子Ｄは保険金とともに前納保険料270,000円を受け取った。

3　この生命保険契約に係る解約返戻金は4,283,000円である。

4　この生命保険契約に係る解約返戻金は2,000,000円であるが、相続税の申告期限までに権利を引継ぐ者は決まっていない。

(3) 被相続人甲の生前の交通事故（死亡の直接の原因となっていない。）による傷害保険金1,200,000円（保険料は甲が全額負担）が、甲の死亡後遺族あてに支払われた。なお、この保険金の取得者は相続税の申告期限までに確定していない。

7　相続人等は被相続人甲から生前に次のとおり贈与を受けていた。これらの贈与は全て生計の資本としての贈与と認められるものであり、受贈者のうちに相続時精算課税の適用を受けた者はいない。

贈与年月日	受贈者	贈与財産	贈与時の時価	相続開始時の時価	(注)
令和２年３月15日	配偶者乙	土地	30,500,000円	35,250,000円	
令和３年４月８日	養子Ｅ	上場株式	3,600,000円	3,500,000円	
令和４年12月10日	配偶者乙	家屋（持分２分の１）	16,000,000円	15,000,000円	1
令和５年３月９日	養子Ｄ	信託受益権	39,500,000円	39,500,000円	2
令和７年１月22日	養子Ｃ	現金	9,750,000円	9,750,000円	

(注) 1　この家屋は、上記３(1)③のＧ市所在の宅地の上に建てられているものであり、配偶者乙は、この家屋について贈与税の配偶者控除の適用を受けている。

2　養子Ｄを受益者とする特定障害者扶養信託契約である。

〔資料２〕

1　宅地等の価額を求める場合の普通商業・併用住宅地区における奥行価格補正率等（抜粋）

(1) 奥行価格補正率

８ｍ以上10ｍ未満　0.97

10ｍ以上12ｍ未満　0.99

12ｍ以上32ｍ未満　1.00

32ｍ以上36ｍ未満　0.97

(2) 側方路線影響加算率

角　地　0.08　　準角地　0.04

(3) 二方路線影響加算率　0.05

2　完全生命表による平均余命(女)

74歳　17.05年

75歳　16.22年

76歳　15.40年

77歳　14.59年

3　予定利率による複利年金現価率

14年　13.004

15年　13.865

16年　14.718

⇨解答：98ページ

MEMO

# 問題３	制限時間　70分
	難易度　B

被相続人甲の相続人及び受遺者（以下「相続人等」という。）の納付すべき相続税額に関する【資料１】及び【資料２】に基づいて、各相続人等の納付すべき相続税額を計算の根拠を示しながら求めなさい。

なお、解答は、次に掲げる指示に従って行うこと。

(1) 解答は、答案用紙の所定の箇所に記入する。

(2) 課税価格の計算のうち、小規模宅地等の特例については、答案用紙の１の(3)「小規模宅地等の特例の計算」欄に記入することとし、その特例の適用を受ける財産の答案用紙の「課税価格に算入される金額」欄には、その特例の適用を受ける前の評価額を記入する。

(3) 各相続人等の課税価格に算入する金額の計算に当たって２以上の計算方法がある場合には、設問中に特に指示されている事項を除き、各人の課税価格が最も少なくなる方法を選択するものとする。なお、個人の事業用資産についての相続税の納税猶予及び免除の規定の適用は受けないものとする。

(4) 各相続人等の算出相続税額の計算に当たってのあん分割合は、端数を調整しないで計算する。

【資料１】

1　被相続人甲は、令和７年４月30日、自宅で死亡した。相続人等は全員同日中にその事実を知った。

2　被相続人甲の相続人等の状況は、次に図示するとおりである。

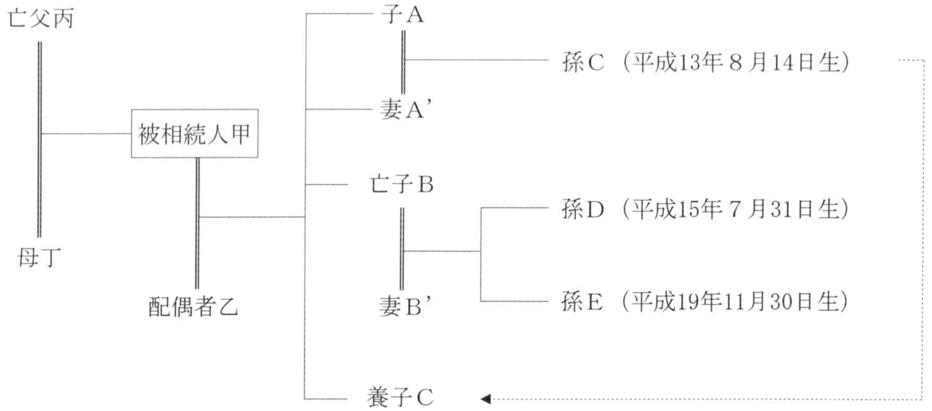

（注）1　被相続人甲は、相続開始時において日本国籍を有する者であり、日本国外に住所を有したことはない。

2　被相続人甲は、昭和29年６月８日生まれであり、相続人等は、生年月日の記載がある者を除きすべて18歳以上である。

3　亡子Bは、平成29年1月15日に死亡しているが、この死亡についての課税関係は生じていない。また、妻B'と孫D及び孫Eは、被相続人甲に係る相続開始時において、日本国籍は有しているが、日本国内に住所を有していない。なお、これらの者以外の相続人等はすべて、被相続人甲に係る相続開始時において、日本国内に住所を有している。

4　孫Eは、相続開始時において一般障害者に該当している。

5　孫Dは、被相続人甲の死亡に係る相続について適法に相続放棄をしている。

6　妻A'は婚姻(平成12年8月7日)と同時に、孫Cは出生と同時に、それぞれ被相続人甲と適法に養子縁組をしている。

7　被相続人甲が亡父丙から相続により取得した財産等の状況は次のとおりである。

なお、亡父丙の相続が開始したのは、平成27年7月14日である。

(1) 被相続人甲が亡父丙から相続により取得した財産の価額(相続税の課税価格の計算の基礎に算入された価額)　289,160,000円

(2) 被相続人甲が亡父丙から相続により取得した財産につき課せられた相続税額(延滞税、利子税、過少申告加算税、無申告加算税及び重加算税に相当する相続税額は含まれていない。)　12,000,000円

3　被相続人甲の遺産(財産の所在は、すべて日本国内である。)に関して判明している事項は次のとおりである。これらの遺産については、令和7年11月3日に共同相続人間で適法に分割の協議が行われ、各相続人は、次のとおり財産を取得した。

なお、遺産のうちN社の株式については、被相続人甲が適正な手続きにより作成した公正証書遺言により、孫Dに遺贈されており、孫Dは遺贈の放棄をしていない。遺贈されたN社の株式については、後記(5)のとおりである。

(注) 1　源泉徴収されるべき所得税等の額に相当する金額を控除する場合の税率は、20.315%とする。

2　株式を取得した者は、課税時期においてその株式に関する権利が生じている場合には、その権利も取得しているものとする。

(1) 宅地F(115㎡)及びその上に存する建物Gは、配偶者乙が取得する。

この宅地は、路線価地域(普通住宅地区)に所在し、その地形等は次のとおりである。

なお、宅地Fの上に存する建物G(面積80㎡、固定資産税評価額20,000,000円)は、相続開始時まで被相続人甲、配偶者乙、母丁が居住しており、その後は申告期限においても配偶者乙及び母丁が居住している。

問題3

問題

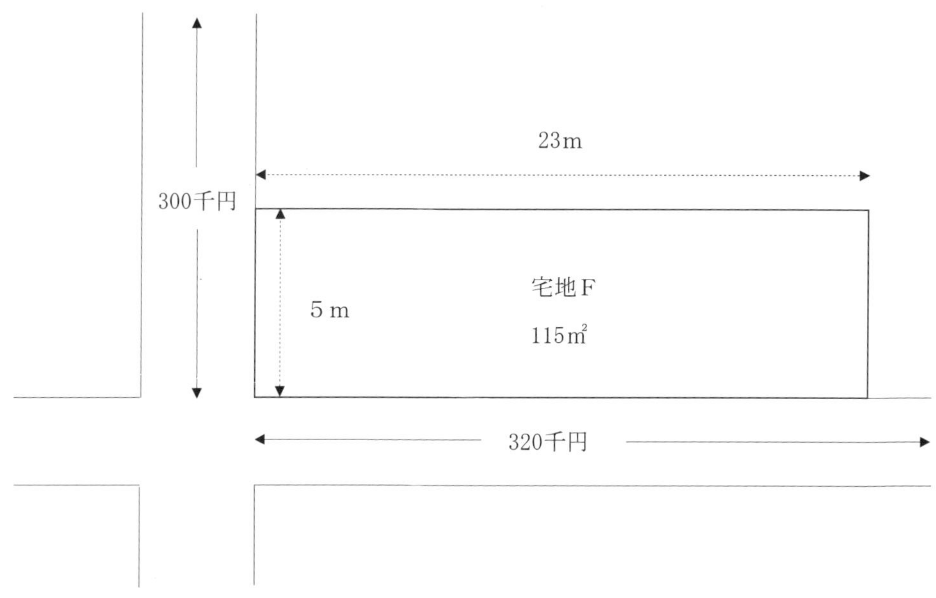

(2) 宅地H（300㎡）及び建物Ｉは、配偶者乙が取得する。

この宅地は、倍率方式により評価する地域（借地権割合50%、借家権割合30%）に所在し、その評価に必要な資料は次のとおりである。

① 台帳地積　330㎡

② 固定資産税評価額　52,800,000円

③ 固定資産税課税標準額　40,000,000円

④ 倍率　1.5倍

この宅地Hの上に存する建物Ｉ（面積100㎡、固定資産税評価額25,000,000円）は、相続開始時まで被相続人甲の別荘の用に供されていたが、配偶者乙は申告期限までにこの建物を貸付事業の用に供している。

(3) 宅地Ｊ（280㎡）及び建物Kは、子Aが取得する。

この宅地は、路線価地域（普通商業・併用住宅地区）に所在し、その地形等は次のとおりである。なお、宅地Ｊの上に存する建物K（面積150㎡、固定資産税評価額30,000,000円）は、被相続人甲が平成10年２月から営んでいた物品販売業の用に供されていたもので、子Aは申告期限までに物品販売業を承継し、相続税の申告期限おいても宅地Ｊ及び建物Kを所有しており、かつ、物品販売業を継続して行っている。

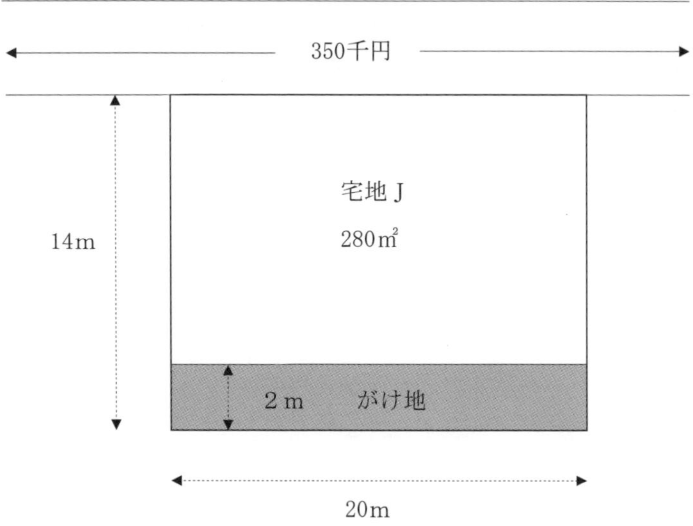

(4) 宅地Ｌ（345㎡）及び建物Ｍは、配偶者乙が取得する。

この宅地は、路線価地域（普通住宅地区）に所在し、その地形等は次のとおりである。

なお、宅地Ｌの上に存する建物Ｍ（共用部分との合計面積265㎡、固定資産税評価額25,000,000円）は、平成16年４月から被相続人甲の貸付事業の用に供されていたものであり、室数は全８戸、各戸の床面積はそれぞれ同じである。相続開始時において、このうち１戸(30㎡)が空室であったが、この空室については、入居者の募集が行われており、相続開始時をはさんでおおむね１ヶ月以内に入居があった。

配偶者乙は、相続税の申告期限においても宅地Ｌ及び建物Ｍを所有しており、かつ、建物Ｍの賃貸を継続している。

また、宅地Ｌは、借地権割合70％、借家権割合30％の地域に所在している。

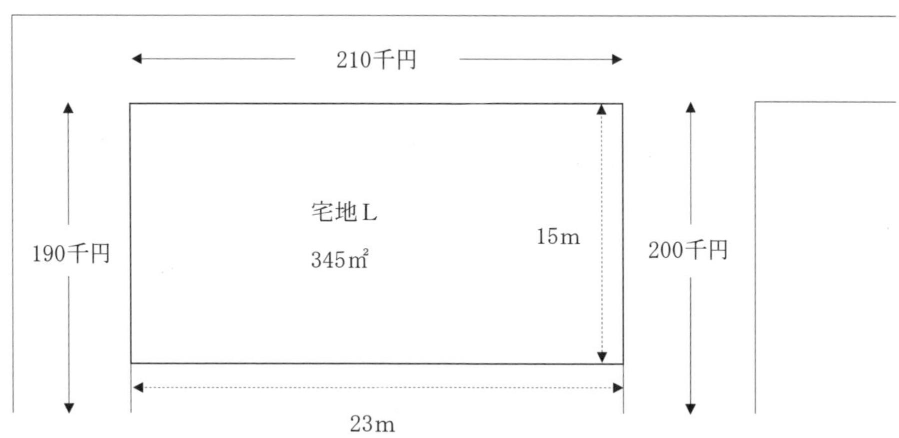

(5) Ｎ社の株式10,000株は、孫Ｄに遺贈され、Ｏ社の株式20,000株は、養子Ｃが取得する。

Ｎ社株式及びＯ社株式は、金融商品取引所に上場されている株式であり、その取引所の公表する令和７年の株価は次表のとおりである。

		Ｎ社株式	Ｏ社株式※
課税時期の最終価格	４月28日	1,515円	796円
	４月29日	取引なし	取引なし
	４月30日	取引なし	取引なし
	５月１日	取引なし	取引なし
	５月２日	1,517円	794円
５月の毎日の最終価格の平均額		1,540円	790円
４月１日から４月18日までの毎日の最終価格の平均額		—	940円
４月19日から４月28日までの毎日の最終価格の平均額		—	793円
４月の毎日の最終価格の平均額		1,518円	891円
３月の毎日の最終価格の平均額		1,521円	943円
２月の毎日の最終価格の平均額		1,524円	946円

※　Ｏ社の増資の状況

株式の割り当ての基準日	令和７年４月20日
株式の割り当て数	１株につき0.2株
１株につき払い込むべき金額	50円
権利落ちの日	令和７年４月19日

(6) 定期預金は、孫Ｅが取得する。

内容は次のとおりである。

預入額	30,000,000円
既経過日数	292日
満期日の約定利率	年0.535%
中途解約利率	年0.375%

(7) Ｐ社の株式20,000株は、子Ａが15,000株を、友人Ｘが5,000株を取得する。

この株式の評価に必要な資料は次のとおりである。

①　Ｐ社の資本金等の額(法人税法第２条第16号に規定する資本金等の金額をいう。)は50,000,000円であり、発行済株式数は100,000株(すべて普通株式であり、議決権は100株につき１個とする。) であり、その株式は「取引相場のない株式」である。

② 相続開始直前の株主の構成は、次表のとおりである。

株主の氏名	保有株式数	株主の氏名	保有株式数
被相続人甲	20,000株	友人X	20,000株
子A	15,000株	取引先10名	30,000株
妻A’	15,000株	合計	100,000株

(注)「取引先10名」は、各人とも相互に同族関係者には該当しない。

③ P社の事業年度は1年で、決算期は3月である。

④ P社は、不動産賃貸業を営む会社で、評価上の区分は中会社(Lの割合:0.60)であり、相続開始の直前に終了した事業年度以前の繰越欠損金はなく、株式等保有特定会社及び土地保有特定会社のいずれにも該当しない。

⑤ P社の1株当たりの類似業種比準価額は、3,054円である。

⑥ 課税時期におけるP社の株式の1株当たりの純資産価額(相続税評価額によって評価した金額)は、2,990円である。

⑦ P社の1株当たりの配当還元価額は400円である。

(8) その他の財産15,000,000円は、配偶者乙が取得した。

なお、この財産には、墓所1,600,000円が含まれている。

4 被相続人甲に係る債務等は次のとおりであり、(1)から(4)までは配偶者乙が、(5)及び(6)は子Aが負担した。

(1) 銀行からの借入金 1,500,000円

(2) 財産目録調整費用 300,000円

(3) 医療費の未払い金 150,000円

(4) その他の未払い金 500,000円

なお、上記3(8)の墓所の購入に係るもの200,000円が含まれている。

(5) 未払いの公租公課(被相続人甲に係るもの) 3,008,000円

(6) 物品販売業に係る買掛金、支払手形 2,500,000円

5 被相続人甲の葬式等に要した費用は次のとおりであり、配偶者乙、子A、養子Cが均等に負担した。なお、受けた香典の金額は、1,000,000円であった。

(1) 通夜・葬式費用 1,400,000円

(2) 納骨費用 160,000円

(3) 香典返し費用 2,500,000円

(4) 寺へのお布施　300,000円

(5) 永代供養料　1,000,000円

6　上記のほか、相続税の申告書の提出期限までに、次の事項が判明している。

(1) 被相続人甲の死亡を保険事故とした生命保険契約に基づき支払われた生命保険金は、次のとおりである。

各生命保険契約の契約者は被相続人甲である。

また、各保険会社は、日本国内に本店のある保険会社である。

保険金受取人	保険金額	払込保険料	保険料の負担者
孫D	37,500,000円	12,000,000円	被相続人甲が３分の２、配偶者乙が３分の１
孫E	50,000,000円	15,000,000円	被相続人甲と配偶者乙が２分の１ずつ
養子C	15,000,000円	5,000,000円	被相続人甲が全額負担
妻A’	15,000,000円	3,000,000円	配偶者乙が全額負担

(2) 上記(1)の他、被相続人甲が保険料の全額を負担していた生命保険契約は、次のとおりである。

契約者	被保険者	保険金受取人	保険金額	解約返戻金額	備考
配偶者乙	配偶者乙	妻A’	35,000,000円	3,000,000円	
妻A’	子A	養子C	42,000,000円	0円	※

※　一定期間内に保険事故が発生しない場合には、返還金等の支払いがないものである。

(3) 被相続人甲の死亡後、P社より、「役員退職功労金等支給規程」に基づいて配偶者乙に対して、退職功労金50,000,000円が支給された。

(4) 被相続人甲の相続人等は、相続開始前に被相続人甲から次のとおり贈与を受けており、令和６年分までの贈与税の申告及び納税が必要なものについては適法に済ませている。

贈与年月日	受贈者	受贈財産	贈与時の時価
令和４年１月15日	養子C	上場株式	5,000,000円
令和４年６月８日	養子C	国債	10,000,000円
令和６年11月５日	孫D	現金	8,000,000円

【資料２】

宅地の価額を求める場合における奥行価格補正率等（抜粋）

(1) 奥行価格補正率

イ　普通商業・併用住宅地区　　４m以上６m未満：0.92、10m以上12m未満：0.99
12m以上32m未満：1.00

ロ　普通住宅地区　　４m以上６m未満：0.92、８m以上10m未満：0.97
10m以上24m未満：1.00

(2) 側方路線影響加算率

イ　普通商業・併用住宅地区　　角地の場合：0.08、準角地の場合：0.04

ロ　普通住宅地区　　角地の場合：0.03、準角地の場合：0.02

(3) 二方路線影響加算率

イ　普通商業・併用住宅地区　　0.05

ロ　普通住宅地区　　0.02

(4) 間口狭小補正率

イ　普通商業・併用住宅地区　　４m未満：0.90、４m以上６m未満：0.97

ロ　普通住宅地区　　４m未満：0.90、４m以上６m未満：0.94
６m以上８m未満：0.97

(5) 奥行長大補正率

イ　普通商業・併用住宅地区　　３以上４未満：0.99、４以上５未満：0.98

ロ　普通住宅地区　　２以上３未満：0.98、３以上４未満：0.96
４以上５未満：0.94

(6) がけ地補正率（南）

0.10以上：0.96、0.20以上：0.92

⇨解答：110ページ

問題 4

制限時間	60分
難易度	B

被相続人甲の相続人及び受遺者の納付すべき相続税額の計算に関し、それらの者から提供のあった資料は下記の〔資料1〕のとおりである。この〔資料1〕と奥行価格補正率等を掲げた〔資料2〕により、各相続人及び受遺者の納付すべき相続税額を、計算の過程を示して求めなさい。解答は、答案用紙の所定の箇所に記入しなさい。

なお、相続税額の計算に当たって2以上の計算方法がある場合には、各人の課税価格が最も少なくなる方法を選択するものとする。なお、個人の事業用資産についての相続税の納税猶予及び免除の適用は受けないものとする。

〔資料1〕

1　被相続人甲は、令和7年4月29日東京都F市の自宅で死亡し、相続人等は全員同日中にその事実を知った。

2　被相続人甲の相続人等の状況は、次に図示するとおりである。

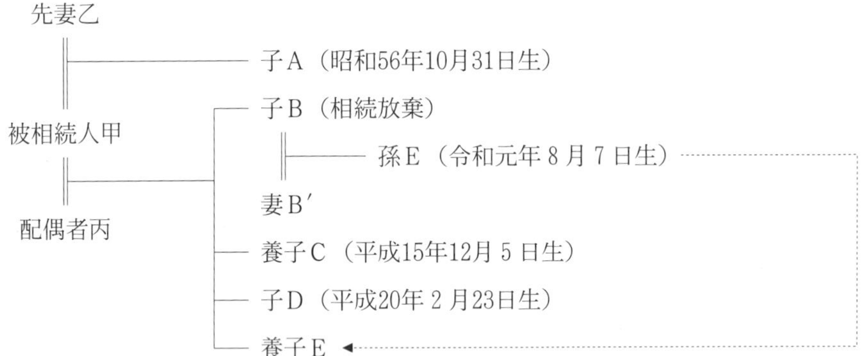

（注1）被相続人甲は、相続開始時において、日本国籍を有する者であり、出生以来日本国内に住所を有していた。

（注2）被相続人甲の相続開始時において、先妻乙及び子A、子B、妻B′及び養子Eはアメリカ合衆国に住所を有しており、他の相続人及び受遺者はいずれも国内に住所を有していた。なお、先妻乙及び子A以外の相続人及び受遺者は、いずれも日本国籍を有している。

（注3）子Dは、令和4年8月から被相続人甲の相続開始時まで、英国に留学中であったが、被相続人甲から常時生活費及び学費の仕送りを受けており、被相続人甲の扶養親族となっていた。

（注4）子Bは、被相続人甲の死亡に係る相続について家庭裁判所に申述し、適法に相続の放棄をしている。

（注5）養子Cは、平成16年に被相続人甲及び配偶者丙と適法に養子縁組をしている。また、

養子Eは、被相続人甲の孫であるが、令和２年に被相続人甲及び配偶者丙と適法に養子縁組をしている。

（注６）被相続人甲は昭和31年８月10日生まれであり、相続人及び受遺者で生年月日の表示のない者はすべて18歳以上である。

（注７）被相続人甲の相続開始時において、子Aは一般障害者に該当し、養子Eは特別障害者に該当している。

（注８）被相続人甲と先妻乙とは、平成元年に正式に離婚しており、その後被相続人甲は平成２年に配偶者丙と正式に婚姻している。

3　被相続人甲の遺産等（財産の所在は、特に明記してあるものを除き日本に所在する。）に関して判明している事項は、次のとおりである。

(1)　各相続人等は、被相続人甲が適法な手続により作成した公正証書による遺言書に基づき、それぞれ次のとおり財産を取得した。

なお、いずれの者も遺贈の放棄はしていない。

（注１）宅地及び家屋は、すべて普通住宅地区で、借地権割合70%、借家権割合30%である地域に所在するものとする。

（注２）既経過利子等の額から源泉徴収されるべき税額を計算する必要がある場合の率は、20.315%とする。

（注３）株式を取得した者は、課税時期においてその株式に関する権利が生じている場合には、その権利も取得しているものとする。

（注４）アメリカ合衆国内にある財産については、アメリカ合衆国において、日本国の相続税に相当する税は課されていないものとする。

①　配偶者丙の取得した財産

イ　F市所在の宅地　　　144㎡

この宅地は路線価地域に所在し、その地形等は次のとおりである。なお、配偶者丙は相続税の申告期限においてもこの宅地を所有している。

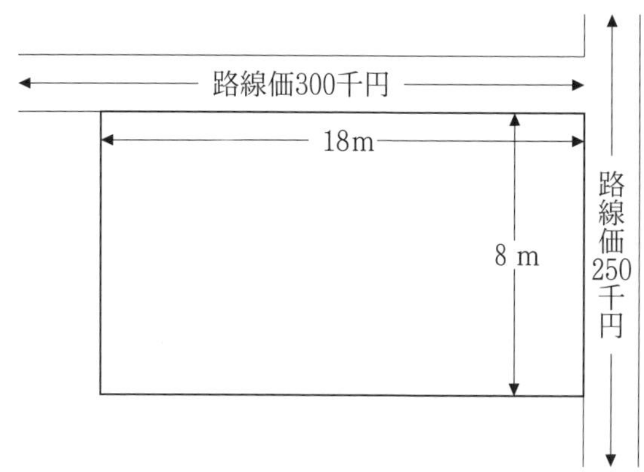

問題4

問題

この宅地の上には、配偶者丙が所有する家屋が建てられており、この家屋には、相続開始時において被相続人甲、配偶者丙及び養子Cが居住していた。なお、被相続人甲と配偶者丙との間で、地代等の授受は行われていない。

また、配偶者丙は、相続税の申告期限まで引き続きこの家屋に居住している。

ロ　G市所在の宅地　　300㎡

この宅地は路線価地域に所在し、その地形等は次のとおりである。なお、配偶者丙は相続税の申告期限においてもこの宅地を所有している。

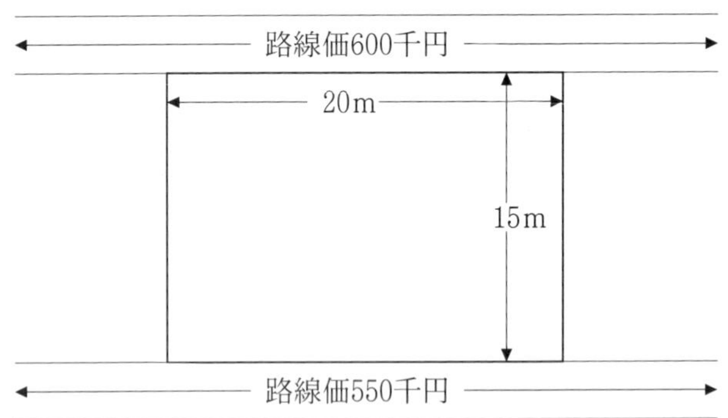

ハ　G市所在の家屋　　240㎡　　固定資産税評価額　　28,000,000円

この家屋は、上記ロの宅地の上に建てられており、平成17年10月から被相続人甲が営む飲食店の店舗の用に供されていたものである。なお、配偶者丙は相続税の申告期限までに被相続人甲の事業を引継ぎ、かつ、引き続き飲食店を営んでいる。

ニ　株式会社H社（以下「H社」という。）の株式　　60,000株

この株式は、東京証券取引所に上場されている株式で、その株価等の状況は次のとおりである。なお、H社の事業年度は1年で、決算期は3月である。

(イ)　増資の状況

新株権利落の日	令和7年3月29日
新株式の割当の基準日	令和7年3月30日
新株式の割当条件　新株式の割当数	株式1株に対し新株式0.2株
新株式1株につき払い込むべき金額	100円

(ロ)　株価の状況

令和7年4月28日の最終価格	1,560円
令和7年4月29日の最終価格	なし
令和7年4月30日の最終価格	1,540円
令和7年4月の毎日の最終価格の月平均額	1,600円
新株権利落の日以後の令和7年3月の毎日の最終価格の月平均額	1,570円
令和7年3月の毎日の最終価格の月平均額	1,810円
令和7年2月の毎日の最終価格の月平均額	1,900円

ホ　株式会社Ｉ社（以下「Ｉ社」という。）の株式　　70,000株

この株式の評価に必要な資料は、次のとおりである。

(イ)　Ｉ社はパン・菓子製造業を営む会社で、その株式は「取引相場のない株式」であり、その評価上の区分は大会社である。

(ロ)　Ｉ社（平成24年４月１日設立）の資本金等の額（法人税法第２条第16号に規定する資本金等の額をいう。）は２億円、発行済株式数は400,000株（すべて普通株式であり、議決権は1,000株につき１個とする。）であり、相続開始直前の株主の構成は次のとおりである。

被相続人甲（非常勤役員）	100,000株	甲の友人Ｊ	90,000株
配偶者丙（常勤役員）	10,000株	甲の友人Ｋ	90,000株
養子Ｅ	10,000株	甲の友人Ｌ	100,000株

(ハ)　Ｉ社の類似業種比準価額は、4,592円である。

(ニ)　Ｉ社の株式の１株当たりの純資産価額（相続税評価額によって計算した金額）は、6,170円である。

ヘ　家庭用財産等　　時価　　19,110,000円

この中には、日常礼拝の用に供している仏壇1,800,000円が含まれている。また、この他に、銀行の貸金庫に保管する仏像3,700,000円がある。

② 養子Ｃの取得した財産

イ　Ｍ市所在の宅地　　210㎡（実測地積）

固定資産税評価額　　34,500,000円　　倍率　　1.1倍

なお、土地課税台帳に登録されている地積は、200㎡である。

ロ　Ｍ市所在の家屋　　130㎡　　固定資産税評価額　　4,200,000円

この家屋は、上記イの宅地の上に建てられており、被相続人甲が平成17年５月から賃貸借契約により第三者に貸し付けていたものである。なお、養子Ｃは相続税の申告期限まで引き続き上記イの宅地及びこの家屋を所有し、かつ、この家屋を賃貸借契約により第三者に貸し付けている。

ハ　ゴルフ会員権　　１口

この会員権は、株主であり、かつ、預託金3,000,000円を預託しなければ会員となれないものであり、課税時期における通常の取引価格は11,000,000円である。

③ 子Ｄの取得した財産

イ　Ｎ市所在の宅地　　160㎡

この宅地は路線価地域に所在し、その地形等は次のとおりである。なお、この宅地は被相続人甲が平成14年９月から賃貸借契約により友人Ｏに貸し付けていたものであり、Ｏはこの宅地に家屋を建て、自己の居住の用に供していた。

また、子Dは、相続税の申告期限まで引き続きこの宅地を所有し、かつ、この宅地を賃貸借契約により友人Oに貸し付けている。

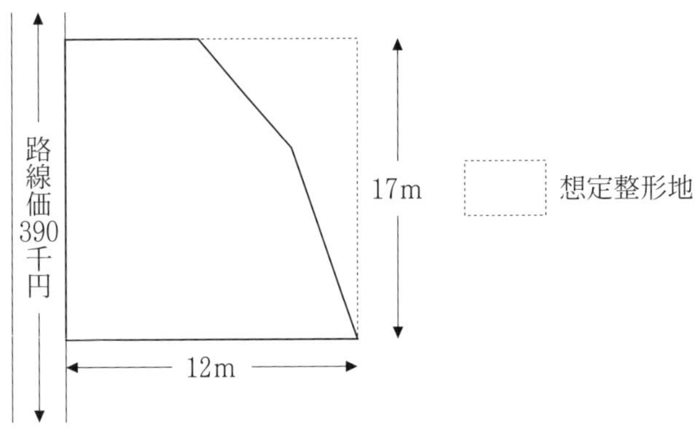

ロ　利付社債　　　券面額　　　6,000,000円

この社債は、日本証券業協会において、売買参考統計値銘柄として選定されたものである。

(イ)　発行価額		券面額100円あたり98円
(ロ)　利　率		年0.5%
(ハ)　既経過利息計算日数		219日
(ニ)　課税時期の平均値	4月27日	102.3円
	4月28日	102.7円
	4月29日	休　日
	4月30日	101.3円

④　養子Eの取得した財産

I社の株式　　　30,000株

この株式の資料については、上記①ホを参照のこと。

⑤　子Aの取得した財産

イ　株式会社P社（以下「P社」という。）の株式　　　24,000株

この株式は、名古屋証券取引所に上場されている株式で、その株価等の状況は次のとおりである。

なお、発行会社であるP社の本店は、愛知県に所在する。

令和7年4月28日の最終価格	520円
令和7年4月29日の最終価格	なし
令和7年4月30日の最終価格	511円
令和7年4月の毎日の最終価格の月平均額	555円
令和7年3月の毎日の最終価格の月平均額	510円
令和7年2月の毎日の最終価格の月平均額	530円

ロ　円貨建米国債　　　時価　　　5,000,000円

この米国債は、被相続人甲が日本に本店を有するＱ証券会社Ｆ市支店にて購入したものである。なお、この米国債の所在地は米国である。

⑥　先妻乙の取得した財産

外国預託証券　　　邦価換算額　　　20,000,000円

大阪に本店を有するＲ株式会社がニューヨーク市場にて発行したものである。

(2)　上記(1)の遺贈財産以外の被相続人甲の遺産は、120,000,000円（下記資料の６以降に被相続人甲の財産があれば、それは含まないものとする。）である。

この遺産については、令和７年10月２日に共同相続人間で分割の協議が行われ、各相続人は、民法第900条〔法定相続分〕の規定による相続分に応じて取得した。

4　被相続人甲に係る債務等は次のとおりで、(1)及び(3)については配偶者丙が、(2)については養子Ｃが、(4)については子Ａが負担することとなった。

(1)　銀行からの借入金　　　33,030,000円

(2)　租税公課　　　7,858,000円

(3)　上記３(1)①への仏壇購入のための未払金　　　350,000円

(4)　上記３(1)⑤ロの円貨建米国債購入のための借入金　　　1,890,000円

5　被相続人甲の葬儀等に要した費用は、次のとおりであり、これらは相続人が均等に負担した。なお、香典2,500,000円は配偶者丙が取得した。

(1)　通夜の費用　　　2,000,000円

(2)　葬式の費用　　　3,000,000円

(3)　遺体の運搬費用　　　200,000円

(4)　香典返しの費用　　　1,700,000円

(5)　寺へのお布施　　　150,000円

6　上記のほか、相続税の申告期限までに、次の事項が判明している。

(1)　被相続人甲に関する生命保険契約は、次の表のとおりである。

区　　分	S生命保険	T生命保険	U生命保険	V生命保険
保険契約者	被相続人甲	被相続人甲	配偶者丙	配偶者丙
被保険者	配偶者丙	被相続人甲	被相続人甲	被相続人甲
保険料負担者	被相続人甲	被相続人甲	被相続人甲1/2 配偶者丙1/2	配偶者丙
保険金受取人	養子E	配偶者丙	子　D	養子E
契約保険金額	40,000,000円	36,000,000円	31,000,000円	12,000,000円
払込済保険料	10,000,000円	6,000,000円	18,000,000円	3,700,000円
契約者貸付金	0円	1,000,000円	0円	0円

（注１）S生命保険契約に関する権利は、分割協議において配偶者丙が取得することとなった。なお、相続開始時において、S生命保険を解約するとした場合に支払われることとなる解約返戻金の額は8,000,000円である。

（注２）T生命保険については、保険金の支払は契約者貸付金を控除した残額が支払われている。

（注３）U生命保険の保険金額については、10年間の年金払の総額（１年間の支払額は3,100,000円）である。なお、課税時期に解約した場合の解約返戻金の額は、30,000,000円である。

(2)　被相続人甲が非常勤役員をしていたＩ社から、被相続人甲の死亡退職に伴い57,200,000円の退職手当金が配偶者丙に支給された。

(3)　被相続人甲の相続人等は、相続開始前に被相続人甲から、次の表のとおり贈与を受けており、贈与税の申告と納税が必要な者については、適法に済ませている。

贈与年月日	受贈者	受贈財産	贈与時の時価
令和４年３月29日	養子C	車両	2,200,000円
令和５年12月11日	配偶者丙	国債	36,000,000円
令和７年１月18日	子　D	上場株式	3,000,000円

なお、配偶者丙は令和５年４月７日に子Bからも現金3,000,000円の贈与を受けている。

〔資料２〕

1　普通住宅地区における宅地の価額を求める場合の奥行価格補正率等（抜粋）

⑴　奥行価格補正率

8ｍ以上10ｍ未満　0.97　10ｍ以上24ｍ未満　1.00

24ｍ以上28ｍ未満　0.97　28ｍ以上32ｍ未満　0.95

⑵　側方路線影響加算率

角　地　0.03　準角地　0.02

⑶　二方路線影響加算率　0.02

2　普通住宅地区における不整形地補正率等（抜粋）

⑴　地積区分

普通住宅地区　500㎡未満　地積区分Ａ　500㎡以上750㎡未満　地積区分Ｂ

750㎡以上　地積区分Ｃ

⑵　不整形地補正率

地積区分 / かげ地割合	A	B	C
10％以上	0.98	0.99	0.99
15％以上	0.96	0.98	0.99
20％以上	0.94	0.97	0.98
25％以上	0.92	0.95	0.97
30％以上	0.90	0.93	0.96

3　予定利率による複利年金現価率

10年　9.471

⇨解答：120ページ

問題 5	制限時間　70分
	難 易 度　　B

被相続人甲の相続人及び受遺者（以下「相続人等」という。）の納付すべき相続税額に関する〔資料１〕及び〔資料２〕に基づいて、各相続人等の納付すべき相続税額を計算の過程を示して答えなさい。

なお、解答は、次に掲げる指示に従って行うこと。

(1)　解答は、答案用紙の所定の箇所に記入する。

(2)　課税価格の計算の特例のうち、小規模宅地等の特例（特例の選択過程を含む。）については、答案用紙の１の(4)「小規模宅地等の特例の計算」欄に記入することとし、その適用を受ける財産の答案用紙の「課税価格に算入される金額」欄には、その適用を受ける前の評価額を記入する。

(3)　各相続人等の課税価格に算入する金額の計算に当たって２以上の計算方法がある場合には、設問中に特に指示されているものを除き、各相続人等の課税価格が最も少なくなる方法を選択するものとする。なお、個人の事業用資産についての相続税の納税猶予及び免除の適用は受けないものとする。

(4)　各相続人等の算出相続税額の計算に当たってのあん分割合は、端数を調整しないで計算する。

〔資料１〕

1　被相続人甲は、令和７年６月29日、東京都の自宅で死亡し、相続人等は全員同日中にその事実を知った。

2　被相続人甲の相続人等の状況は、次に図示するとおりである。

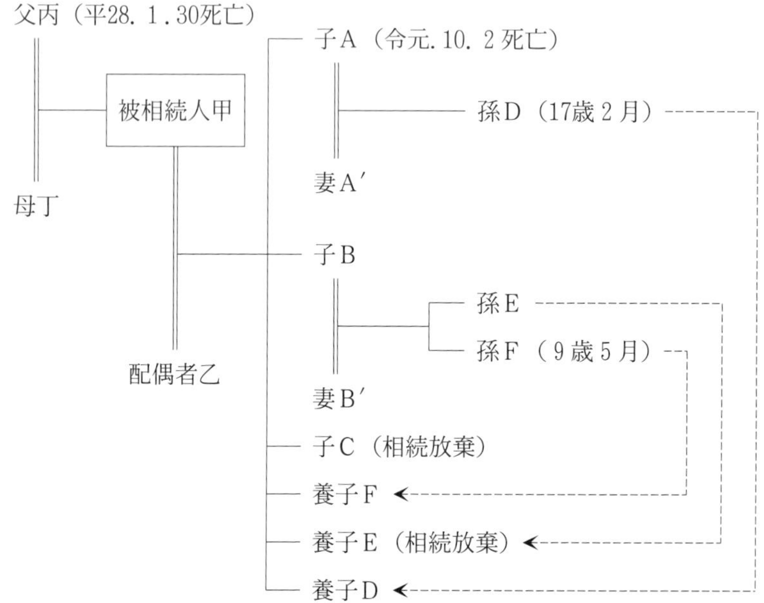

（注１）被相続人甲（昭26．２．２生）は、配偶者乙と昭和46年４月に結婚し、日本に住所を有しており、相続開始時において、日本国籍を有する者である。なお、被相続人甲は、相続開始時までに国外に住所を有したことはない。

（注２）妻A′及び養子Dは、相続開始時においてドイツ連邦共和国に住所を有している。なお、妻A′及び養子Dは日本国籍を有している。

それ以外の相続人等は、日本国籍を有し、日本国内に住所を有している。

（注３）子C及び養子Eは、被相続人甲の相続について適法に相続放棄をしている。

（注４）養子Dは令和２年４月に、養子E及び養子Fは令和６年４月に被相続人甲及び配偶者乙と適法に養子縁組をしている。

（注５）養子D及び養子Fは、相続開始時において一般障害者に該当する。

（注６）父丙及び子Aの相続に関して、相続税の課税関係は生じていない。

3　被相続人甲の遺産等（財産の所在は、特に指示があるものを除き、いずれも日本国内にある。）に関して判明している事項は、次のとおりである。

⑴　各相続人等は、被相続人甲が適法な手続により作成した公正証書遺言に基づき、それぞれ次のとおり財産を取得した。なお、受遺者はいずれも遺贈の放棄をしていない。

（注１）宅地及び家屋は、すべて借地権割合60％、借家権割合30％である地域に所在するものとする。

（注２）既経過利子等の額から源泉徴収されるべき税額を計算する必要がある場合の率は、20.315％とする。

（注３）株式を取得した者は、課税時期においてその株式に関する権利が生じている場合には、その権利も取得しているものとする。

①「宅地G（160㎡）は、配偶者乙に遺贈する。」

この宅地は、路線価地域（普通住宅地区）に所在し、その地形等は次のとおりである。なお、配偶者乙は、相続税の申告期限においてもこの宅地を所有している。

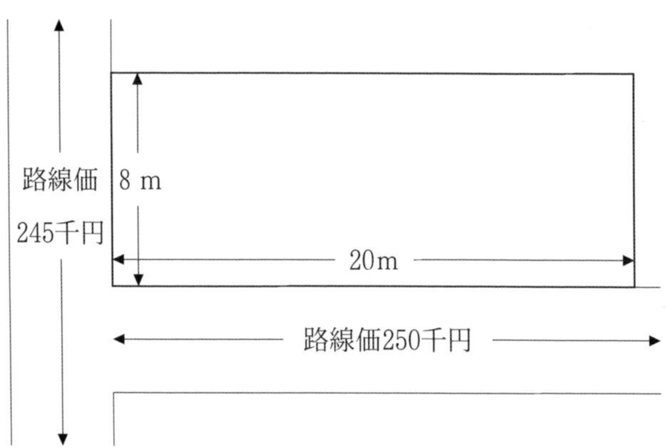

問題5

問題

② 「家屋H（120㎡）は、配偶者乙に遺贈する。」

この家屋は、上記①の宅地Gの上に建てられているもので、固定資産税評価額は10,000,000円である。この家屋は、被相続人甲、配偶者乙、子B、妻B′、養子E及び養子Fが居住していたもので、被相続人甲以外の者は、同人の死亡後も引き続き居住している。

③ 「宅地I（210㎡）は、配偶者乙に遺贈する。」

この宅地は、倍率方式適用地域に所在し、その評価に関する資料は次のとおりである。

なお、配偶者乙は、相続税の申告期限においてもこの宅地を所有している。

イ	土地課税台帳に登録されている地積	200㎡
ロ	固定資産税評価額	40,000,000円
ハ	倍率	1.2倍

④ 「家屋J（160㎡）は、配偶者乙に遺贈する。」

この家屋は、上記③の宅地Iの上に建てられているもので、固定資産税評価額は6,500,000円である。この家屋は、配偶者乙が平成25年1月から飲食店の店舗の用に供していたものであり、配偶者乙から被相続人甲への家賃等の支払いはなかった。

なお、配偶者乙は、相続税の申告期限においてもこの家屋を所有し、飲食店の店舗の用に供している。

⑤ 「宅地K（320㎡）は、子Bに遺贈する。」

この宅地は、路線価地域（普通住宅地区）に所在し、その地形等は次のとおりである。

なお、子Bは、相続税の申告期限においてもこの宅地を所有している。

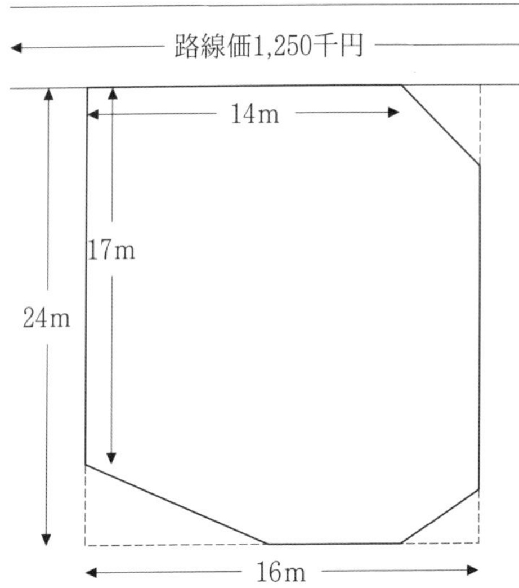

実際の地形：実線部分

想定整形地：実線部分に点線部分を加えた部分

（注）この宅地の上には、下記⑧のM株式会社（以下「M社」という。）の所有する家屋が建てられており、被相続人甲はこの宅地をM社に設立時から賃貸借契約により貸し付けている。なお、M社はこの宅地を金属加工機械製造業の本社の敷地の用に供しており、

相続税の申告期限においても子Bはこの宅地をM社に賃貸借契約により貸し付けており、M社は金属加工機械製造業の本社の敷地の用に供している。

⑥ 「別荘及び別荘地（320,000ユーロ）は、子Bに遺贈する。」

この別荘及び別荘地は、ドイツ連邦共和国に所在するもので、取引金融機関が公表する為替相場は次のとおりである。なお、ドイツ連邦共和国において日本の相続税に相当する税1,750,000円（邦貨換算後の金額）が課されている。

イ　令和７年６月27日の最終の為替相場

対顧客直物電信買相場（１ユーロ）	140.20円
対顧客直物電信売相場（１ユーロ）	143.20円

ロ　令和７年６月28日～令和７年６月29日の最終の為替相場

なし

ハ　令和７年６月30日の最終の為替相場

対顧客直物電信買相場（１ユーロ）	139.20円
対顧客直物電信売相場（１ユーロ）	142.20円

⑦ 「L株式会社（以下「L社」という。）の株式20,000株は、配偶者乙に遺贈する。」

この株式は、東京証券取引所に上場されている株式で、その株価等の状況は次のとおりである。なお、L社の事業年度は１年で、決算期は６月である。

イ　課税時期前後の最終価格

６月27日　489円、６月28日～６月29日　取引なし、６月30日　492円

ロ　毎日の最終価格の月平均額

令和７年６月の毎日の最終価格の月平均額	491円
令和７年６月１日から23日までの毎日の最終価格の月平均額	493円
令和７年６月24日から30日までの毎日の最終価格の月平均額	488円
令和７年５月の毎日の最終価格の月平均額	494円
令和７年４月の毎日の最終価格の月平均額	493円
令和７年３月の毎日の最終価格の月平均額	490円

ハ　配当金交付の基準日　　令和７年６月25日

ニ　予想配当金額　　　　　１株につき10円

ホ　配当落の日　　　　　　令和７年６月24日

⑧ 「M社の株式45,000株は子Bに、10,000株は友人戊に遺贈する。」

この株式の評価に必要な資料は次のとおりである。

イ　M社（平成４年４月１日設立）の資本金等の額（法人税法第２条第16号に規定する資本金等の額をいう。）は60,000,000円であり、発行済株式数は120,000株（すべて普通株式であり、議決権は100株を１個とする。）である。

ロ　M社の事業年度は１年で、決算期は３月である。

ハ　M社の株式は「取引相場のない株式」であり、その評価上の区分は大会社である。なお、比準要素の金額はいずれもプラスであり、株式等保有特定会社及び土地保有特定会社のいずれにも該当しない。

ニ　相続開始直前の株主構成は、次のとおりである。なお、子ＢはM社の役員である。

被相続人甲	55,000株
配偶者乙	5,000株
子Ｂ	5,000株
友人戊	55,000株

ホ　M社の１株当たりの類似業種比準価額は、1,503円である。

ヘ　M社の１株当たりの純資産価額（相続税評価額によって計算した金額）は、2,536円である。

ト　M社の１株当たりの配当還元価額は、250円である。

⑨「Ｎゴルフ会員権は、養子Ｅに遺贈する。」

このゴルフ会員権は株主となり、かつ、預託金を預託することにより会員となるもので、取引相場のないものである。なお、その評価に必要な資料は次のとおりである。

イ　課税時期における株式の価額　　2,597,000円

ロ　預託金の額（ゴルフクラブの規約により課税時期において返還を受けることができることとなっている。）　　1,000,000円

⑩「証券投資信託の受益証券2,000万口は、養子Ｆに遺贈する。」

この受益証券の評価に必要な資料は次のとおりである。

イ　課税時期における１万口当たりの基準価額

６月27日　10,300円、６月28日～６月29日　取引なし、６月30日　10,250円

ロ　課税時期において解約した場合に源泉徴収される所得税　　245,000円

ハ　課税時期における解約手数料（消費税額を含む。）　　１万口につき22円

⑪「定期預金は、養子Ｄに遺贈する。」

この定期預金の評価に必要な資料は次のとおりである。

イ	預入高	10,000,000円
ロ	約定期間	２年
ハ	既経過日数	511日
ニ	満期日の約定利率	年0.35％
ホ	中間利払利率	年0.25％
ヘ	中途解約利率	年0.245％（１年以上１年６ヶ月未満）

(2) 上記(1)の遺贈財産以外の被相続人甲の遺産は、240,000,000円（すべて流動資産であり、国内に所在するものである。）である。この遺産については、令和７年10月21日に共同相続人間で分割協議が行われ、各相続人は、民法第900条〔法定相続分〕及び民法第901条〔代襲相続分〕の規定による相続分に応じて取得した。

4 被相続人甲に係る債務及びその負担者は次のとおりである。

イ 本件遺言の執行費用 3,000,000円（子Ｂが負担）

ロ 銀行借入金 9,969,000円（子Ｂが負担）

このほかに、上記３(1)⑥の別荘及び別荘地購入のための借入金15,000ユーロがあるが、子Ｂが負担する。

ハ 令和７年分所得税の準確定申告分 300,000円（配偶者乙が負担）

ニ 令和７年度住民税 200,000円（配偶者乙が負担）

ホ 令和７年度固定資産税及び都市計画税 900,000円（配偶者乙が負担）

5 被相続人甲の葬式等に要した費用は次のとおりであり、これらは相続人が均等に負担した。なお、香典4,000,000円は配偶者乙が取得し、葬式等に要した費用の一部に充当している。

イ 通夜・葬式費用 6,000,000円

ロ 香典返しの費用 3,000,000円

ハ 初七日の法事の費用 400,000円

6 上記のほか、相続税の申告書の提出期限までに、次の事項が判明している。

(1) 被相続人甲に関する生命保険契約は、次の表のとおりである。

区　　分	Ｏ生命保険	Ｐ生命保険	Ｑ生命保険	Ｒ生命保険
保険契約者	子　Ｂ	被相続人甲	配偶者乙	子　Ｂ
被保険者	被相続人甲	被相続人甲	被相続人甲	子　Ｂ
保険料負担者	被相続人甲 1/2 配偶者乙 1/2	被相続人甲全額	被相続人甲全額	被相続人甲 1/2 子　Ｂ 1/2
保険金受取人	配偶者乙	養子Ｅ	養子Ｆ	養子Ｆ
保険金額	80,000,000円	40,000,000円	50,000,000円	30,000,000円
払込済保険料	20,000,000円	10,000,000円	10,000,000円	6,000,000円

（注１）生命保険契約は、いずれも日本国内に本店のある保険会社とのものである。

（注２）Ｏ生命保険との契約には、契約者貸付金の金額が2,000,000円（元利合計額）あったため、保険金受取人である配偶者乙に対しては保険金額から契約者貸付金の金額を控除した金額が支払われた。なお、配偶者乙は取得した保険金のうち10,000,000円を社会福祉法人Ｓ会に対して寄附し、適法に受け入れられている。

（注３）養子Ｅは取得した保険金のうち3,000,000円を人格のない社団Ｔ会に対して寄附し、

適法に受け入れられている。

（注４）相続開始時においてＲ生命保険との保険契約を解約するとした場合に支払われることとなる解約返戻金の額は4,500,000円である。

(2) 被相続人甲の死亡後、Ｍ社より、同社の「役員退職功労金等支給規程」に基づいて、配偶者乙に対し次の支払がある。なお、被相続人甲の令和７年６月分の役員報酬は600,000円であり、相続開始前に支給済みである。また、被相続人甲の死亡は、業務上によるものではない。

イ　退職手当金　40,000,000円

ロ　弔慰金　5,000,000円

(3) 被相続人甲の相続人等は、相続開始前に被相続人甲から、次のとおり贈与を受けており、令和６年分までの贈与税の申告及び納税が必要なものについては、適法に済ませている。

イ　令和７年中

令和７年５月２日に配偶者乙は、上場株式10,000株の贈与を受けた。なお、この上場株式の１株当たりの時価は490円である。

ロ　令和６年以前

贈与年月日	受贈者	受贈財産	贈与時の時価	備考
令和３年３月８日	子　Ｃ	現　金	50,000,000円	（注１）
令和６年６月20日	養子Ｄ	別荘及び別荘地	30,000,000円	（注２）
令和６年７月24日	子　Ｂ	現　金	3,000,000円	

（注１）子Ｃは令和３年分の贈与税の申告にあたり、相続時精算課税選択届出書を納税地の所轄税務署長に提出している。

（注２）養子Ｄが贈与を受けた別荘及び別荘地は、ドイツ連邦共和国に所在しているものであり、ドイツ連邦共和国において贈与税に相当する税98,000円が課されている。

（注３）各贈与年において、配偶者乙、子Ｂ、子Ｃ及び養子Ｄは、被相続人甲以外の者から贈与を受けていない。

〔資料２〕

1　宅地の価額を求める場合における奥行価格補正率等（抜粋）

(1)　奥行価格補正率（普通住宅地区）

８m以上10m未満　0.97　　10m以上24m未満　1.00　　24m以上28m未満　0.97

(2)　側方路線影響加算率（普通住宅地区）

角地　0.03　　準角地　0.02

(3)　不整形地補正率等（普通住宅地区）

イ　地積区分

500㎡未満　地積区分Ａ　　500㎡以上750㎡未満　地積区分Ｂ

750㎡以上　地積区分Ｃ

ロ　不整形地補正率

かげ地割合	地積区分Ａ	地積区分Ｂ	地積区分Ｃ
10％以上	0.98	0.99	0.99
15％以上	0.96	0.98	0.99
20％以上	0.94	0.97	0.98
25％以上	0.92	0.95	0.97
30％以上	0.90	0.93	0.96

(4)　奥行長大補正率（普通住宅地区）

２以上３未満　0.98

2　基準年利率による複利現価率

３年　0.999　　４年　0.998

⇨解答：130ページ

問題 6	制限時間　70分
	難易度　B

被相続人甲の相続人及び受遺者（以下「相続人等」という。）の納付すべき相続税額に関する〔資料１〕及び〔資料２〕に基づいて、各相続人等の納付すべき相続税額を、計算の根拠を示しながら求めなさい。

なお、解答は次に掲げる指示に従って行うこと。

1　解答は、答案用紙の所定の箇所に記入する。

2　課税価格の計算のうち、小規模宅地等の特例については、答案用紙の１(3)「小規模宅地等の特例の計算」欄に記入することとし、その特例の適用を受ける財産についての答案用紙の「課税価格に算入される金額」欄には、その特例の適用を受ける前の評価額を記入する。

3　各相続人等の課税価格に算入する金額の計算に当たって２以上の計算方法がある場合には、設問中に特に指示されている事項を除き、各人の課税価格が最も少なくなる方法を選択するものとする。

4　各相続人等の算出相続税額の計算に当たってのあん分割合は、端数を調整しないで計算する。

〔資料１〕

1　大阪市中央区に住所を有する被相続人甲は、令和７年６月17日に自宅で死亡し、相続人等は全員同日中にその事実を知った。

2　被相続人甲の相続人等の状況は、次に図示するとおりである。

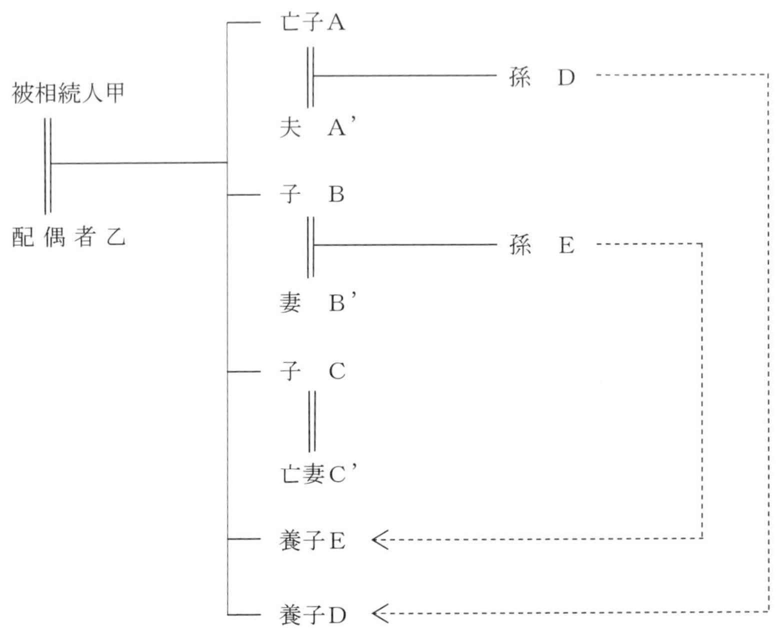

(注) 1　被相続人甲は昭和25年11月15日生まれで、相続開始時において日本国籍を有する者であり、日本国内に住所を有していた。また、被相続人甲は日本以外に住所を有したことはない。

2　被相続人甲は配偶者乙と昭和49年11月３日に婚姻した。

3　子Ａは、相続開始以前に死亡しているが、子Ａの相続について相続税の課税関係は生じなかった。

4　子Ｃは、昭和55年４月21日生まれであり、平成14年から相続開始時まで引き続き相続税法第19条の４第２項に規定する特別障害者に該当している。

5　妻Ｃ’は、令和２年５月５日に死亡しているが、子Ｃは妻Ｃ’に係る相続にあたって適法に相続税の申告を済ませており、その際に障害者控除5,400,000円の適用を受けている。

6　養子Ｄは、平成17年９月17日生まれであり、出生と同時に被相続人甲と適法に養子縁組をしている。

7　養子Ｅは、平成19年８月11日生まれであり、出生と同時に被相続人甲と適法に養子縁組をしている。また、養子Ｅは甲の死亡に係る相続において、適法に相続放棄をしている。

8　生年月日の表示のない者は、相続開始時において全員18歳以上である。また、相続人等はいずれも日本国内に住所を有しており、日本以外に住所を有したことはない。

9　被相続人甲と同居し生計を一にしていた者は、配偶者乙、子Ｂ、妻Ｂ’及び養子Ｅであり、他の相続人等は独立して生計を営んでいた。

3　被相続人甲の遺産（財産の所在は、すべて日本国内である。）は、被相続人甲が適法な手続きにより作成した公正証書遺言に基づき、それぞれ次のとおり受遺者に遺贈されている。なお、受遺者はいずれも遺贈の放棄をしていない。

(注) 1　宅地（宅地の上に存する権利を含む。）及び建物はすべて借地権割合が60％、借家権割合が30％である地域に所在しているものとする。

2　宅地の評価において、地積規模の大きな宅地の評価を考慮する必要はない。

3　利子所得等に係る源泉徴収されるべき税額を計算する必要がある場合には、20.315％の率とする。

4　取引相場のない株式の評価上、評価差額に対する法人税額等に相当する金額を計算する場合の率は37％とする。

(1) 宅地Ｈ（100㎡）及び宅地Ｉ（120㎡）並びにその上に存する建物Ｊは、配偶者乙が取得する。

この宅地は、路線価地域（普通商業・併用住宅地区）に所在し、その地形等は次のとおりである。

なお、宅地Ｈ及び宅地Ｉの上に存する建物Ｊ（固定資産税評価額9,200,000円）は、被相続人甲の居住の用に供されていた。

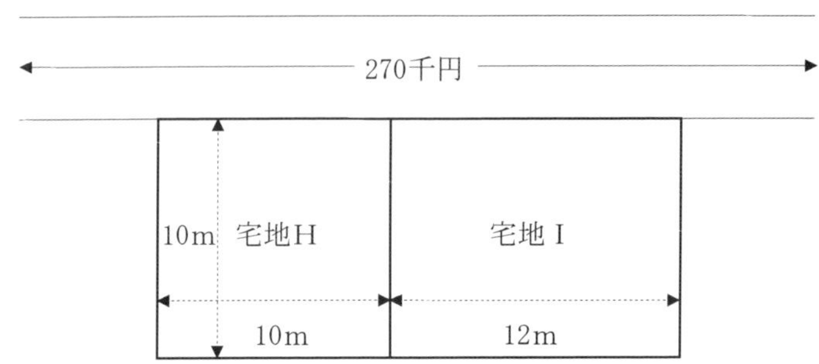

(2) 宅地Ｋ（240㎡）は、子Ｂが取得する。

この宅地は、路線価地域（普通商業・併用住宅地区）に所在し、その地形等は次のとおりである。子Ｂはこの宅地の上に家屋を建て、平成26年５月から自己の税理士業の事務所として使用していた。

なお、子Ｂは被相続人甲に地代を支払っていないが、固定資産税を負担しており、相続税の申告期限においても、この宅地を所有し自己の事業の用に供している。

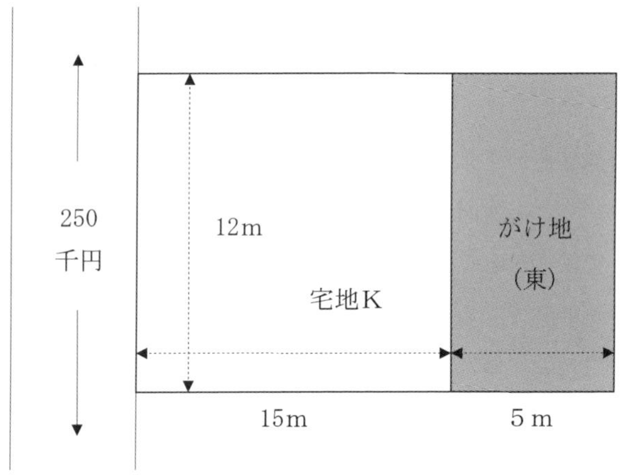

(3) Ｌ社債（券面額5,000,000円）は、子Ｂが取得する。

Ｌ社債は、東京証券取引所に上場されているもので、評価に必要な事項は次のとおりである。

イ　発行価額（券面額100円あたり）　102.20円

ロ　利率　年1.25％

ハ　既経過日数　　　　　　　　　　146日

ニ　課税時期前後の最終価格

6月15日	101.75円
6月16日	休　　日
6月17日	休　　日
6月18日	101.35円

(4) 宅地M（300㎡）及びその上に存する建物Nは、子Cが取得する。

この宅地は、路線価地域（普通住宅地区）に所在し、その地形等は次のとおりである。

建物N（1戸30㎡、共用部分30㎡、室数は全10戸、各戸の床面積はそれぞれ同じ。固定資産税評価額25,000,000円）は、被相続人甲が平成16年3月から賃貸借契約により第三者に貸付けていたものであり、子Cは、相続税の申告期限においても宅地M及び建物Nを所有しており、かつ、建物Nの貸付けを継続している。

この賃貸借契約については、相続開始時において全室貸付けられており、いずれも敷金の授受はなく、家賃の未収はない。なお、相続税の申告期限においても全室貸し付けられている。

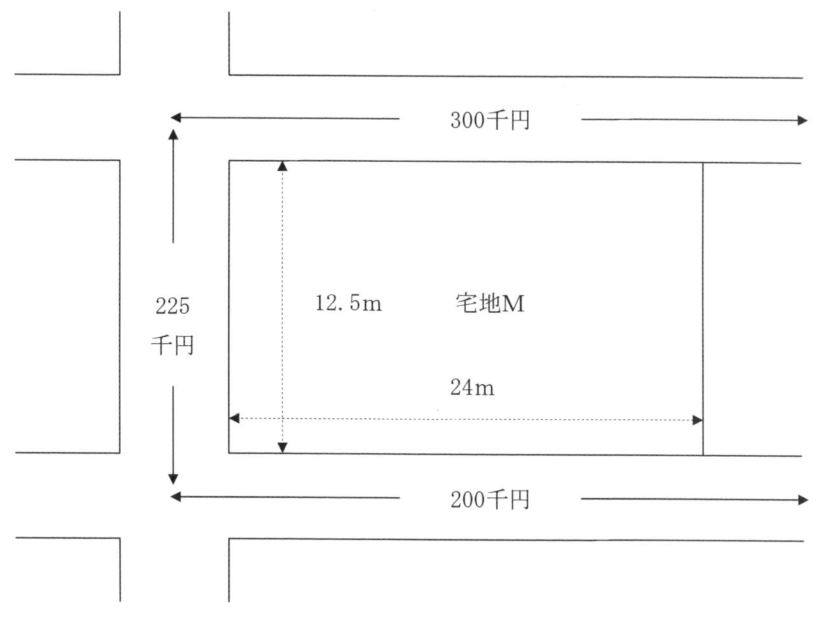

(5) G社の被相続人甲名義の株式4,800株は、夫A’が800株、養子Dが4,000株を取得する。

この株式の評価に必要な事項は、次のとおりである。

イ　G社の資本金等の額（法人税法第2条第16号に規定する資本金等の金額をいう。）は10,000,000円であり、発行済株式総数は20,000株（すべて普通株式であり、議決権は1株につき１個とする）である。なお、資本金等は創業以来変動がない。

ロ　Ｇ社の事業年度は１年で、決算期は３月末である。

ハ　Ｇ社は中古車販売業を営む会社で、その株式は「取引相場のない株式」であり、評価上の区分は中会社、Ｌの割合は0.6である。

なお、Ｇ社は相続開始の直前に終了した事業年度以前の繰越欠損金はなく、比準要素の３要素ともプラスであり、株式等保有特定会社及び土地保有特定会社のいずれにも該当しない。

ニ　相続開始直前における株主の構成は以下のとおりである。

株主の氏名	保有株式数	株主の氏名	保有株式数
被相続人甲	4,800株	Ｇ社の取引先20名	12,000株
配偶者乙	3,200株	合計	20,000株

(注)「Ｇ社の取引先20名」は、各人とも相互に同族関係者に該当せず、いずれも少数株主である。

ホ　Ｇ社の１株あたりの類似業種比準価額の計算に用いる類似業種の株価等は次のとおりである。

類似業種の株価	302円
令和７年の類似業種の１株当たりの配当金額	4.2円
令和７年の類似業種の１株当たりの年利益金額	31円
令和７年の類似業種の１株当たりの純資産価額	222円

へ　Ｇ社の比準要素の金額の計算の基となる金額は次のとおりである。

直前期末以前１年間の年配当金額	750,000円
直前々期末以前１年間の年配当金額	800,000円
直前々期の前期末以前１年間の年配当金額	900,000円
直前期末以前１年間の利益金額	4,340,000円
直前々期末以前１年間の利益金額	4,850,000円
直前々期の前期末以前１年間の利益金額	5,200,000円
直前期末における利益積立金額	26,000,000円
直前々期末における利益積立金額	24,500,000円

ト　課税時期におけるＧ社の資産及び負債の額は、次のとおりである。

区　分	資産の合計額	負債の合計額
帳簿価額	48,100,000円	12,000,000円
相続税評価額	78,100,000円	12,000,000円

チ　相続税の申告期限においてＧ社の役員は配偶者乙である。

(6)　O社株式20,000株は、養子Dが取得する。

この株式は、東京証券取引所及び名古屋証券取引所に上場している株式で、その評価に必要な事項は、次のとおりである。なお、O社の本社は大阪府にある。

イ　株価の状況

	（東　京）	（名古屋）
令和７年６月13日の株価	502円	499円
令和７年６月14日の株価	503円	500円
令和７年６月15日の株価	410円	406円
令和７年６月16日の株価	なし	なし
令和７年６月17日の株価	なし	なし
令和７年６月18日の株価	408円	410円
令和７年６月１日から14日までの毎日の最終価格の平均額	498円	501円
令和７年６月15日から30日までの毎日の最終価格の平均額	411円	407円
令和７年６月の毎日の株価の月平均額	454円	446円
令和７年５月の毎日の株価の月平均額	499円	497円
令和７年４月の毎日の株価の月平均額	511円	513円

ロ　株式の分割（無償交付）の基準日　　令和７年６月18日

ハ　株式の分割の効力が発生する日　　令和７年８月18日

ニ　株式の交付数　　株式１株につき0.2株を交付

ホ　権利落ちの日　　令和７年６月15日

(7)　P証券投資信託の受益証券2,500万口は、養子Eが取得する。

この受益証券の評価に必要な事項は、次のとおりである。

イ　１口あたりの基準価額　　１円

ロ　課税時期において再投資されていない未収分配金の額　　１万口につき1.5円

ハ　課税時期における信託財産留保額　　31,250円

(8)　Q銀行南船場支店の定期預金（預入高 20,000,000円）は、子Cが取得する。

この定期預金の評価に必要な事項は、次のとおりである。

イ　約定期間　　１年

ロ　既経過日数　　73日

ハ　満期日の約定利息　　年2.4%

ニ　中途解約利率　　年1.5%（６カ月未満）

問題6

問題

(9) 現金5,000,000円は、人格のない社団F会が取得する。

4 (1) 被相続人甲の死亡により、被相続人甲が生前に勤務していたR社から退職手当金30,000,000円が配偶者乙に支給された。

(2) 被相続人甲に関する生命保険契約は、次のとおりであり、保険事故の発生したものに係る保険金は、各契約の保険金受取人が取得した。

区　分	S生命保険	T生命保険
保険契約者	被相続人甲	夫A’
被保険者	被相続人甲	夫A’
保険料負担者	被相続人甲　1/2 夫A’　1/2	被相続人甲　1/2 夫A’ 1/2
保険金受取人	養子D	養子D
保険金額	50,000,000円	20,000,000円
払込済保険料	30,000,000円	10,000,000円

(注) 1 生命保険契約は、いずれも日本に本店のある生命保険会社との契約である。

2 S生命保険契約には、保険金とともに支払いを受けた剰余金が60,000円ある。

3 T生命保険契約の相続開始時における解約返戻金の額は11,000,000円である。

5 (1) 被相続人甲に係る債務は次のとおりであり、それぞれに掲げる者が負担した。

イ 被相続人甲の準確定申告に係る所得税及び復興特別所得税　200,000円　配偶者乙

ロ 未払いの医療費　300,000円　配偶者乙

ハ 令和7年度住民税　667,000円　子C

ニ 銀行からの借入金　1,000,000円　子B

(2) 被相続人甲の葬儀に要した諸費用は次のとおりであり、相続人が均等に負担した。

イ 寺院への通夜及び葬儀のお布施　500,000円

ロ 初七日の法要の費用　100,000円

ハ 葬儀社への通夜及び葬儀代の支払い　4,500,000円

ニ 永代供養料　1,000,000円

ホ 香典返しの金額　3,800,000円

ヘ 戒名代　500,000円

6　相続開始前における被相続人甲からの相続人等に対する財産の贈与の状況は次のとおりであり、令和６年分までの贈与税の申告及び納付は適法になされている。なお、被相続人甲からの贈与につき相続時精算課税の適用を受けた者はいない。

贈与年月日	受贈者	受贈財産	贈与時の時価
令和４年６月17日	夫A’	現金	3,000,000円
令和４年11月22日	子Ｃ（注１）	信託受益権	35,000,000円
令和５年９月18日	養子Ｄ（注２）	上場株式	5,000,000円
令和６年12月９日	人格のない社団Ｆ会（注３）	現金	5,000,000円

(注) 1　被相続人甲は、子Ｃに対し、W信託銀行との間で締結した特定障害者扶養信託契約に基づく信託受益権を贈与し、子Ｃはこの贈与につき特定障害者に対する贈与税の非課税の適用を適法に受けている。

2　養子Ｄは、令和５年９月17日に子Ｃからも現金3,000,000円の贈与を受け、適法に贈与税の申告を済ませている。

3　人格のない社団Ｆ会は令和６年３月19日に配偶者乙からも現金3,000,000円の贈与を受け、適法に贈与税の申告を済ませている。

問題6

問題

〔資料２〕

宅地等の価額を求める場合における奥行価格補正率等（抜粋）

(1) 奥行価格補正率

イ　普通商業・併用住宅地区

８ｍ以上10ｍ未満　0.97

10ｍ以上12ｍ未満　0.99

12ｍ以上32ｍ未満　1.00

ロ　普通住宅地区

８ｍ以上10ｍ未満　0.97

10ｍ以上24ｍ未満　1.00

24ｍ以上28ｍ未満　0.97

(2) 側方路線影響加算率

イ　普通商業・併用住宅地区

角　地　0.08　準角地　0.04

ロ　普通住宅地区

角　地　0.03　準角地　0.02

(3) 二方路線影響加算率

イ　普通商業・併用住宅地区　0.05

ロ　普通住宅地区　0.02

(4) がけ地補正率（東）

がけ地地積／総地積	補正率
0.10以上	0.95
0.20以上	0.91
0.30以上	0.87

⇨解答：142ページ

MEMO

問題6 問題

問 題 7	制限時間　70分
	難 易 度　　B

被相続人甲の相続人及び受遺者（以下「相続人等」という。）の納付すべき相続税額に関する〔資料１〕及び〔資料２〕に基づいて、各相続人等の納付すべき相続税額を、計算の根拠を示しながら求めなさい。

なお、解答は次に掲げる指示に従って行うこと。

1　解答は、答案用紙の所定の箇所に記入する。

2　課税価格の計算のうち、小規模宅地等の特例については、答案用紙の１(4)「小規模宅地等の特例の計算」欄に記入することとし、その特例の適用を受ける財産についての答案用紙の「課税価格に算入される金額」欄には、その特例の適用を受ける前の評価額を記入する。

3　各相続人等の課税価格に算入する金額の計算に当たって２以上の計算方法がある場合には、設問中に特に指示されている事項を除き、各人の課税価格が最も少なくなる方法を選択するものとする。

4　各相続人等の算出相続税額の計算に当たってのあん分割合は、端数を調整しないで計算する。

〔資料１〕

1　被相続人甲は、株式会社M社（以下「M社」という。）を主宰する会社経営者であったが、令和７年６月16日、自宅で死亡した。相続人等は全員同日中にその事実を知った。

2　被相続人甲の相続人等の状況は、次に図示するとおりである。

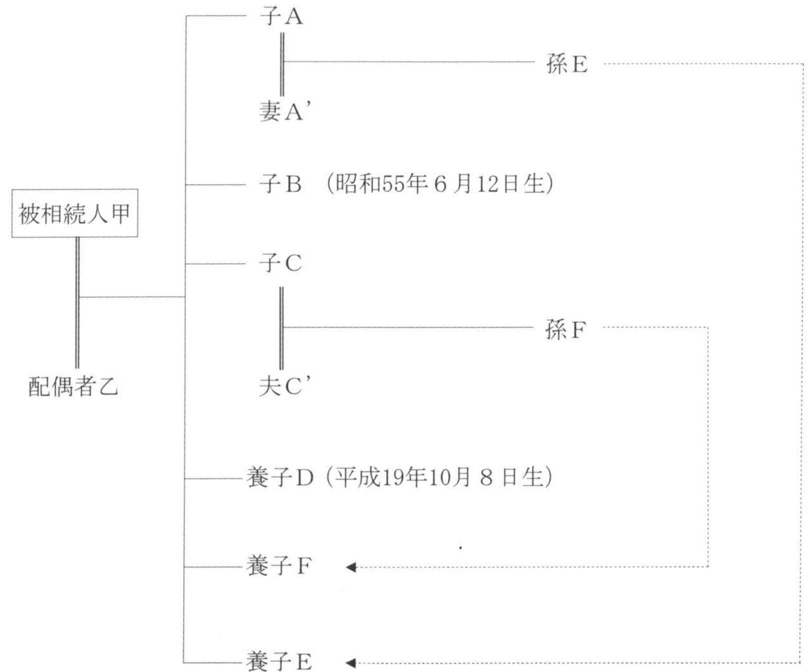

（注）1　被相続人甲は、相続開始時において日本国籍を有する者であり、日本国内に住所を有していた。被相続人甲は日本以外に住所を有したことはない。

2　被相続人甲は、昭和24年４月７日生まれであり、相続人等のうち生年月日の表記のない者は、相続開始の時においてすべて18歳以上である。

3　子Ａは、相続開始以前に死亡しているが、子Ａの相続について相続税の課税関係は生じなかった。

4　子Ｃは、被相続人甲の死亡に係る相続について、適法に相続の放棄をしている。

5　養子Ｄ、孫Ｅ及び孫Ｆは、それぞれ被相続人甲と適法に養子縁組をしている。

6　相続人等のうち、養子Ｄは令和５年より米国に住所を有するが、それ以前は日本国内に住所を有していた。養子Ｄ以外の者は、相続開始時において日本国内に住所を有しており、日本以外に住所を有したことはない。

7　相続開始時において、子Ｂは一般障害者に、養子Ｄは特別障害者に該当し、従前より障害の程度に変更はない。

3　被相続人甲の遺産等は、被相続人甲が適法に作成した公正証書遺言に基づき、それぞれ以下のとおり受遺者に遺贈されており、受遺者のうち遺贈を放棄した者はいない。

（注）1　宅地（宅地の上に存する権利を含む。）及び家屋はすべて借地権割合が70％、借家権割合が30％である地域に所在しているものとする。

2　利子所得等に係る源泉徴収されるべき税額を計算する必要がある場合には、20.315％の率とする。なお、既経過利子の計算に当たっては、１年を365日とする日割計算で行うものとする。

3　株式を取得した者は、相続開始時においてその株式に関する権利が生じている場合、その権利も取得しているものとする。

4　取引相場のない株式の評価上、評価差額に対する法人税額等に相当する金額を計算する場合の率は37％とする。

(1) 借地権Ｇ（216㎡）及びその上に存する建物Ｈは、養子Ｅが取得する。

この宅地は、路線価地域（普通商業・併用住宅地区）に所在し、その地形等は次のとおりである。

なお、借地権Ｇの上に存する建物Ｈ（固定資産税評価額25,000,000円）は、被相続人甲が令和２年以降賃貸借契約により第三者に貸付けていたものであり、養子Ｅは、相続税の申告期限においても借地権Ｇ及び建物Ｈを所有しており、かつ、建物Ｈの貸付けを継続している。

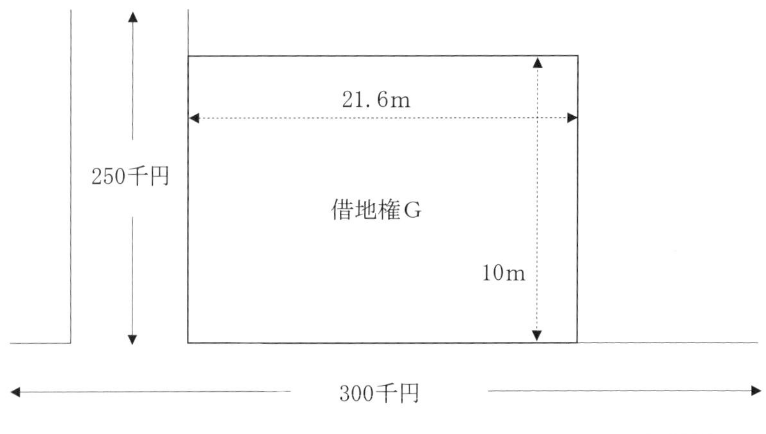

(2) 宅地Ｉ（200㎡）は、配偶者乙が取得する。

この宅地は、倍率地域に所在するものであり、固定資産税評価額は10,000,000円、倍率は2.0である。

なお、この宅地は、相続開始日現在空き地となっている。

(3) 宅地Ｊ（198㎡）及びその上に存する建物Ｋは、配偶者乙が取得する。

この宅地は、路線価地域（普通商業・併用住宅地区）に所在し、その地形等は次のとおりである。

なお、宅地Ｊの上に存する建物Ｋ（固定資産税評価額15,000,000円）は、被相続人甲の居住の用に供されていた。

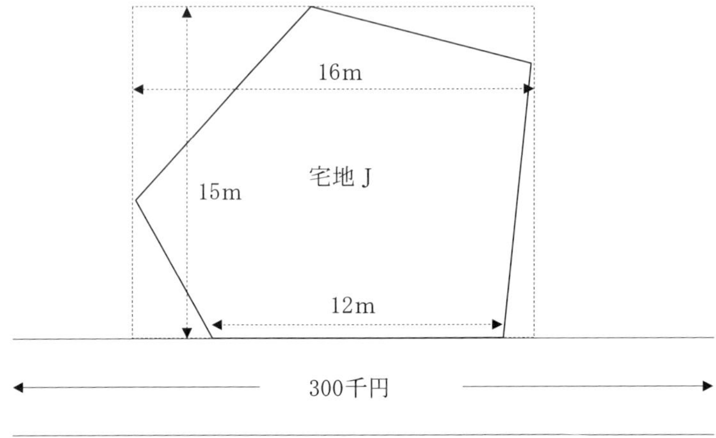

(4) L株式会社の株式20,000株は、子Bが取得する。

この株式は、東京証券取引所に上場している株式で、その株価等の状況は、次のとおりである。

① 株価の状況

令和７年６月14日の株価	589円
令和７年６月15日の株価	なし
令和７年６月16日の株価	なし
令和７年６月17日の株価	592円
令和７年６月の毎日の株価の月平均額	596円
令和７年５月の毎日の株価の月平均額	593円
令和７年５月１日から５月29日までの毎日の株価の平均額	594円
令和７年５月30日から５月31日までの毎日の株価の平均額	590円
令和７年４月の毎日の株価の月平均額	595円

② 配当金交付の基準日　令和７年５月31日

③ 配当落ちの日　令和７年５月30日

④ 予想配当金額　株式１株につき10円

(5) M社の株式23,000株は、配偶者乙が20,000株を、他人Uが3,000株を取得する。

この株式の評価に必要な資料は次のとおりである。

① M社の資本金等の額（法人税法第２条第16号に規定する資本金等の金額をいう。）は、20,000,000円であり、発行済株式数は40,000株（すべて普通株式であり、議決権は100株につき１個とする。）であり、その株式は「取引相場のない株式」である。

② M社の事業年度は１年で、決算期は３月である。

③ M社は製造業を営む会社で、その評価上の区分は大会社であり、相続開始の直前に終了した事業年度以前の繰越欠損金はなく、株式等保有特定会社及び土地保有特定会社のいずれにも該当しない。

④ 相続開始直前の株主の構成は、次表のとおりである。

株主の氏名	保有株式数	株主の氏名	保有株式数
被相続人甲	23,000株	他人U	1,000株
配偶者乙	10,000株	他人V	1,000株
養子D	5,000株	合計	40,000株

（注）他人U及び他人Vは、各人とも相互に同族関係者に該当しない。

問題7 問題

⑤　類似業種の比準要素等の金額は、次のとおりである。

イ　類似業種の株価

令和７年６月580円、５月592円、４月600円、令和６年平均560円

令和７年６月以前２年間の平均575円

ロ　類似業種の１株当たりの年配当金額　6.5円

ハ　類似業種の１株当たりの年利益金額　45円

ニ　類似業種の１株当たりの簿価純資産価額　280円

⑥　M社の比準要素の金額の計算の基となる金額は、次のとおりである。

イ　令和７年３月期末以前１年間の年配当金額　0円

ロ　令和６年３月期末以前１年間の年配当金額　0円

ハ　令和５年３月期末以前１年間の年配当金額　0円

ニ　令和７年３月期末以前１年間の差引利益金額　37,450,000円

ホ　令和６年３月期末以前１年間の差引利益金額　36,240,000円

ヘ　令和５年３月期末以前１年間の差引利益金額　33,220,000円

ト　令和７年３月期末における利益積立金額　280,500,000円

チ　令和６年３月期末における利益積立金額　247,210,000円

リ　令和５年３月期末における利益積立金額　215,450,000円

（注）１　資本金等の額は、令和５年３月期末以降、20,000,000円である。

２　類似業種比準価額を計算する場合の要素別比準割合、比準割合については、それぞれ小数点以下第２位未満を切り捨てて計算するものとする。

⑦　M社の課税時期現在の貸借対照表上の資産及び負債の額は次のとおりである。

（単位：円）

区　　分	資産の部	負債の部
帳簿価額	355,000,000	100,000,000
相続税評価額	485,000,000	100,000,000

（注）下記７に記載の退職手当金及び弔慰金は負債の部の金額に適正に計上されている。

(6)　ゴルフ会員権は、子Ｂが取得する。

このゴルフ会員権は、株主であり、かつ、預託金を預託しなければ会員となれないものであり、会員権についての課税時期における通常の取引価格は20,000,000円である。なお、取引価格には預託金が含まれておらず、当該ゴルフクラブの規約によれば、課税時期から２年９ヶ月後に預託金5,000,000円の返還を受けることができることとなっている。

(7) 定期預金（預入高30,000,000円）は、養子Ｄが取得する。

この定期預金の内容は次のとおりである。

① 約定期間　２年

② 既経過日数　584日

③ 満期日の約定利息　年2.0％

④ 中間利払利息　年1.0％

⑤ 中途解約利率　年1.4％（１年６ヶ月以上）

(8) 証券投資信託の受益証券（6,000,000口）は、配偶者乙が取得する。

この受益証券は日々決算型のものであり、内容は次のとおりである。

① 課税時期における１口当たりの基準価額：１円

② 課税時期において再投資されていない未収分配金：2,500円

4　上記３の遺贈財産以外の被相続人甲の遺産（すべて預貯金等の金融資産である。）は、総額150,000,000円である。この遺産については、相続税の申告期限までに各相続人間で分割協議が行われ、その結果、各相続人が均等に取得した。

5　被相続人甲の死亡を保険事故とした生命保険契約に基づき支払われた生命保険金は、次のとおりである。なお、これらの生命保険契約は、すべて日本国内で締結されたものである。

保険金受取人	保険金額	払込済保険料	保険料の負担者
子Ｂ	30,000,000円	4,000,000円	被相続人甲1/2、子Ｂ1/2
養子Ｅ	15,000,000円	8,000,000円	被相続人甲全額
妻Ａ’	10,000,000円	3,000,000円	被相続人甲全額

(注) 子Ｂは取得した生命保険金のうち5,000,000円を認定特定非営利活動法人に寄附し、令和７年12月５日にその寄附は正式に受け入れられている。

6　相続開始時において保険事故が発生していない生命保険契約は次のとおりである。

保険契約者	保険金額	解約返戻金	保険料の負担者
養子Ｅ	10,000,000円	3,000,000円	被相続人甲1/2、妻Ａ’1/2

7　被相続人甲の死亡後、Ｍ社は退職手当金30,000,000円と弔慰金8,000,000円を配偶者乙に支給した。なお、被相続人甲の死亡は業務上の死亡以外の死亡に該当し、相続開始時における普通給与は月額500,000円である。

8　被相続人甲に係る債務は次のとおりであり、それぞれ次に掲げる者が負担した。

(1) 銀行からの借入金　8,000,000円　配偶者乙が負担

(2) 遺言執行費用　1,200,000円　配偶者乙が負担

(3) 未払いの医療費　370,000円　子Bが負担

(4) 公租公課　500,000円　子Bが負担

9　被相続人甲の葬儀に要した諸費用は次のとおりであり、それぞれ次に掲げる者が負担した。

(1) 葬儀社への通夜及び葬儀費用の支払い　3,000,000円　配偶者乙、子B、養子D、養子Eが均等に負担

(2) お寺へのお布施　2,000,000円　配偶者乙が負担

(3) 香典返戻費用　1,200,000円　配偶者乙が負担

10　相続人等は被相続人甲から生前に次のとおり贈与を受けており、適正に贈与税の申告及び納付を行っている。

贈与年月日	受贈者	贈与財産	贈与時の時価	相続開始時の時価	(注)
令和4年4月8日	配偶者乙	上場株式	3,600,000円	3,500,000円	
令和4年8月9日	子　B	信託受益権	30,000,000円	30,000,000円	1
令和4年9月10日	配偶者乙	預貯金	16,000,000円	16,000,000円	
令和5年6月20日	養子F	預貯金	30,000,000円	30,000,000円	2

(注) 1　子Bを受益者とする特定障害者扶養信託契約である。

2　令和5年分の贈与税の申告に際し、相続時精算課税選択届出書を提出している。

〔資料２〕

1　宅地等の価額を求める場合の普通商業・併用住宅地区における奥行価格補正率等（抜粋）

(1) 奥行価格補正率

８ｍ以上10ｍ未満　0.97

10ｍ以上12ｍ未満　0.99

12ｍ以上32ｍ未満　1.00

(2) 側方路線影響加算率

角　地　0.08　　準角地　0.04

(3) 不整形地補正率表（地積が650㎡未満の場合）

かげ地割合	補正率
10％以上	0.99
15％以上	0.98
20％以上	0.97
25％以上	0.96
30％以上	0.94

2　基準年利率による複利現価率

２年　1.000

３年　0.993

⇨解答：150ページ

# 問題 8	制限時間　60分
	難易度　A

下記の〔資料〕に基づいて、被相続人甲に係る各相続人及び受遺者（以下「相続人等」という。）の納付すべき相続税額を、計算の過程を示して求めなさい。

なお、相続税額の計算に当たって2以上の計算方法がある場合には、各人の課税価格が最も少なくなる方法を選択するものとし、各人の算出相続税額の計算に当たってのあん分割合は、端数を調整しないで計算することとする。なお、個人の事業用資産についての相続税の納税猶予及び免除の適用は受けないものとする。

〔資　料〕

1　東京都X区に住所を有する被相続人甲は、令和7年5月25日自宅で病気療養中に死亡した。相続人等はすべて同日その事実を知った。

2　被相続人甲の相続人等の状況は、次のとおりである。

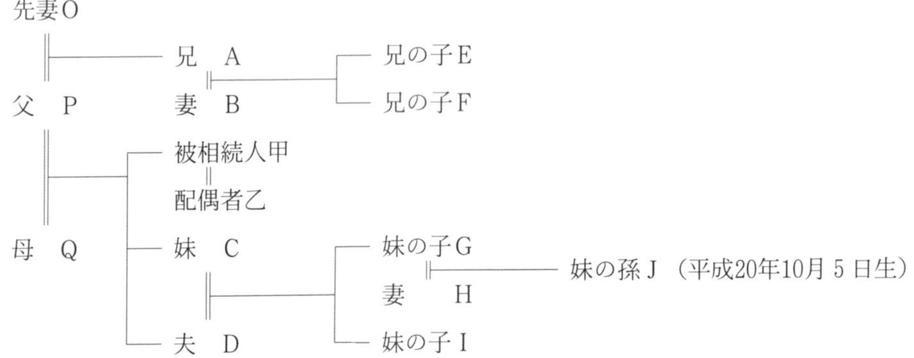

（注1）夫Dは、妹Cとの婚姻届を提出するのと同時に父P及び母Qとの間の養子縁組届を提出している。

（注2）先妻O、父P、母Q、妹C及び妹の子Gは、被相続人甲の相続開始以前に死亡しているが、これらの者についての相続税の課税関係はいずれも生じていない。

（注3）配偶者乙は被相続人甲と同居し生計を一にしていたが、他の相続人等はそれぞれ埼玉県内において独立した生計を営んでいた。なお、被相続人甲及び相続人等は全員日本国籍を有し、国外に住所を有したことはない。

（注4）相続人等のうち生年月日の記載のない者は、相続開始の時においていずれも18歳以上である。

3　被相続人甲の遺産（すべて日本国内にある。）に関して判明している事項は、次のとおりである。

(1)　各相続人等は、被相続人甲が適法な手続を経て作成した公正証書による遺言書に基づき、次のとおり財産を取得した。なお、受遺者はいずれも遺贈の放棄をしていない。

（注１）宅地、借地権及び家屋は、すべて借地権割合が60％、借家権割合が30％である地域に所在している。

（注２）利子所得に係る源泉徴収されるべき税額を計算する必要がある場合には、20.315％の率とする。

① 配偶者乙が取得した財産

イ 宅　地　360㎡　　路線価に基づく自用地としての価額　135,000,000円

配偶者乙は、相続税の申告期限においてもこの宅地を所有している。

ロ 家　屋　420㎡　　固定資産税評価額　45,000,000円

この家屋は、イの宅地の上に建てられている鉄筋コンクリート造３階建のビルで、各階の利用状況は次のとおりである。なお、利用効率は各階均等であるものとし、イの宅地は家屋の利用状況に応じて使用されているものとする。また、３階の貸し付けは配偶者乙により引き継がれており、相続開始後申告期限までこの家屋の利用状況に変更はなく、配偶者乙から被相続人甲への家賃等の支払いはなかった。

１階　140㎡　平成23年４月から配偶者乙が営んでいた雑貨店の店舗の用に供している。

２階　140㎡　上記雑貨店の店員の寄宿舎等の用に供している。

３階　140㎡　平成23年４月から第三者に貸店舗として賃貸借により貸し付けている。

ハ Ｙ株式会社（以下「Ｙ社」という。）の株式　　260,000株

この株式は、被相続人甲が役員をしていたＹ社の発行する株式で、資本金等の額は１億円、発行済株式数は2,000,000株（すべて普通株式であり、議決権は1,000株につき１個とする。）である。この株式の評価に必要な資料は、次のとおりである。

(イ) Ｙ社の株式は取引相場のない株式であり、その評価上の区分は小会社である。

(ロ) 株主の構成（被相続人甲の株式を相続人等が取得した後の状況である。）

配偶者乙	820,000株	他人丙	600,000株
妹の子Ｉ	80,000株	他人丁	500,000株

なお、他人丙及び他人丁は同族関係者に該当しない。

(ハ) Ｙ社の類似業種比準価額の計算に用いる類似業種の株価等は、次のとおりである。

類似業種の株価	680円
令和７年の類似業種の１株当たりの配当金額	2.2円
令和７年の類似業種の１株当たりの年利益金額	26円
令和７年の類似業種の１株当たりの純資産価額（帳簿価額によって計算した金額）	230円

(ニ) Ｙ社の類似業種比準価額の計算に用いる１株当たりの配当金額等は次のとおりである。

Ｙ社の１株当たりの配当金額　2円

Ｙ社の１株当たりの利益金額　78円

Ｙ社の１株当たりの純資産価額（帳簿価額によって計算した金額）　870円

(ホ)　Ｙ社の１株当たりの純資産価額（相続税評価額によって計算した金額）は、1,156円である。

ニ　定期預金　預入高　40,000,000円

この定期預金の内容は、次のとおりである。

(イ)　約定期間　１年

(ロ)　約定利率　年1.80％

(ハ)　中途解約利率　年1.50％

(ニ)　既経過日数　146日

②　妹の子Ｉが取得した財産

イ　宅　地　160㎡　路線価に基づく自用地としての価額　61,500,000円

妹の子Ｉは、相続税の申告期限までこの宅地を所有している。

ロ　家　屋　120㎡　固定資産税評価額　21,000,000円

この家屋は、イの宅地の上に建てられているもので、平成26年３月から被相続人甲が営んでいた卸売業の倉庫の用に供されている。なお、妹の子Ｉは、被相続人甲の死亡後、被相続人甲が営んでいた卸売業を引き継ぎ、相続税の申告期限において卸売業を営んでいる。また、この家屋の遺贈については、夫Ｄの銀行からの借入金5,000,000円を負担することが条件となっている。

ハ　Ｙ社の株式　50,000株

この株式の評価に必要な資料は、上記①のハを参照すること。

なお、妹の子Ｉは、Ｙ社の役員ではない。

ニ　家庭用財産　時価 5,303,000円（仏壇600,000円及び美術品として所有している仏像3,000,000円を含む。）

③　妹の孫Ｊが取得した財産

イ　借地権　100㎡　借地権の目的となっている宅地の路線価に基づく自用地としての価額　40,000,000円

妹の孫Ｊは、相続税の申告期限においてもこの借地権を所有している。

ロ　家　屋　120㎡　固定資産税評価額　18,000,000円

この家屋は、イの借地の上に建てられているもので、被相続人甲が平成15年１月から賃貸借契約により知人戊に貸し付けていたものである。なお、妹の孫Ｊは、被相続人甲の死亡後、知人戊に対する貸し付けを引き継ぎ、相続税の申告期限においても貸し付けている。

ハ　ゴルフ会員権　　1口

このゴルフ会員権は、株主でなければ会員となれないものであり、会員権について取引相場がなく、このゴルフ会員権に係る株式の評価額は18,000,000円である。

(2) 上記(1)の遺贈財産以外の被相続人甲の遺産（預貯金等の流動資産である。）は、総額180,000,000円である。この遺産については、令和7年9月15日に各相続人間の協議に基づいて分割が行われ、その結果、各相続人は民法第900条〔法定相続分〕及び第901条〔代襲相続分〕の規定による相続分に応じて取得した。

(3) 被相続人甲の相続開始時における債務並びにその負担状況は、次のとおりである。

① 銀行借入金　19,533,200円（配偶者乙負担）

② 令和6年分贈与税　1,630,000円（配偶者乙負担）

このうち39,800円は、被相続人甲の責めに帰すべき事由により課された延滞税である。

③ 仏壇購入に係る未払金　500,000円（妹の子Ⅰ負担）

④ 連帯債務　20,500,000円（妹の子Ⅰ負担）

この金額のうち、被相続人甲の負担に属する部分の金額は10,250,000円である。

4　被相続人甲の葬式等に要した費用は、次のとおりである。なお、香典収入5,000,000円は、配偶者乙が取得した。

(1) 葬式費用　4,500,000円（配偶者乙負担）

(2) 通夜費用　600,000円（妹の子Ⅰ負担）

(3) 納骨費用　200,000円（妹の子Ⅰ負担）

(4) 香典返し費用　3,000,000円（配偶者乙負担）

(5) 初七日法事費用　750,000円（夫D負担）

(6) お寺へのお布施　2,000,000円（夫D負担）

5　被相続人甲の死亡を保険事故として相続人等が取得した生命保険金は、次のとおりである。

保険金受取人	保険金額	払込保険料総額	保険料の負担者等	備考
配偶者乙	60,000,000円	18,000,000円	被相続人甲3分の2、 配偶者乙3分の1	
夫D	15,000,000円	3,000,000円	被相続人甲全額	
妹の子Ⅰ	20,000,000円	6,000,000円	被相続人甲2分の1、 妹C2分の1	(注)
妹の孫J	10,000,000円	2,000,000円	被相続人甲全額	

(注) 妹の子Ⅰが保険金受取人である保険契約については、妹Cの相続の際に夫Dが生命保険契約に関する権利を取得したものとみなされている。

問題8

問題

6　被相続人甲の死亡により上記５の保険金を取得した者は、その取得した保険金のうちから、それぞれ次のとおり寄附をし、この寄附はいずれも令和７年８月10日までに正式にその受入れが行われている。

配偶者乙　　10,000,000円　　日本赤十字社の運営資金として

夫　　D　　10,000,000円　　東京都X区へ交通遺児育英資金として

妹の子I　　5,000,000円　　私立高等学校（私立学校法第３条に規定する学校法人）の校舎の建築資金として

7　被相続人甲の死亡後、Y社から同社の「役員退職功労金支給規程」に基づいて次の退職慰労金及び弔慰金が配偶者乙に支払われた。なお、被相続人甲の役員報酬は月額1,000,000円であり、被相続人甲の死亡は業務上の死亡以外の死亡である。

⑴　退職慰労金　　48,000,000円

⑵　弔慰金　　8,000,000円

8　被相続人甲の相続開始時において、まだ保険事故の発生していない生命保険契約（いわゆる掛捨保険契約ではない。）で、被相続人甲が保険料の全部又は一部を負担していたものは、次のとおりである。

保険契約者	保　険　金　額	払込保険料総額	保険料の負担者等	備　考
配偶者乙	50,000,000円	10,000,000円	被相続人甲全額	（注１）
夫　　D	25,000,000円	4,500,000円	被相続人甲３分の１、妹の子I　３分の２	（注２）

（注１）相続開始の時において、この保険契約を解約するとした場合に支払われることとなる解約返戻金の額は5,900,000円である。

（注２）相続開始の時において、この保険契約を解約するとした場合に支払われることとなる解約返戻金の額は2,508,000円である。

9　被相続人甲は、平成26年２月に退職したW株式会社から、退職年金契約に基づき退職年金の支給を受けていたが、保証期間中に死亡したことにより配偶者乙がその継続受取人として引き続き年金により取得することとなった。この退職年金契約の内容は、次のとおりである。

⑴　支給金額　　年額1,200,000円

⑵　最終支給日　　令和15年３月25日

⑶　定期金に代えて一時金を受ける場合の一時金の額　　7,500,000円

10　相続人等が被相続人甲の生前に贈与を受けた状況は、次のとおりである。

なお、夫Dは令和６年１月１日において18歳以上であり、受贈者はいずれも相続時精算課税の適用を受けていない。

贈与年月	贈与者	受贈者	贈与財産	価額
令和６年２月	夫Dの実父	夫　D	現　金	12,000,000円
令和６年３月	被相続人甲	夫　D	株　式	3,000,000円
令和６年６月	被相続人甲	兄　A	土　地	22,500,500円
令和７年４月	被相続人甲	妹の子I	株　式	13,000,000円

《参考資料》

予定利率による複利年金現価率

７年　6.728

８年　7.652

⇨解答：160ページ

問題 9	制限時間　70分
	難易度　B

被相続人甲の相続人及び受遺者（以下「相続人等」という。）の納付すべき相続税額に関し、それらの者から提供のあった資料は下記〔資料１〕のとおりである。〔資料１〕と奥行価格補正率等を掲げた〔資料２〕により、各相続人等の納付すべき相続税額を、計算過程を示して求めなさい。

なお、相続税額の計算に当たって２以上の計算方法がある場合には、各人の課税価格が最も少なくなる方法を選択するものとし、各人の算出相続税額の計算に当たってのあん分割合は端数を調整しないで計算することとする。

〔資料１〕

1　大阪府Ｇ市に住所を有する被相続人甲は、令和７年６月27日に養子Ｂとともに外出中に自動車事故により死亡した。被相続人甲と養子Ｂは同時死亡と推定される。相続人等は、同日その事実を知った。

2　被相続人甲の相続人等の状況は、次の図に示すとおりである。

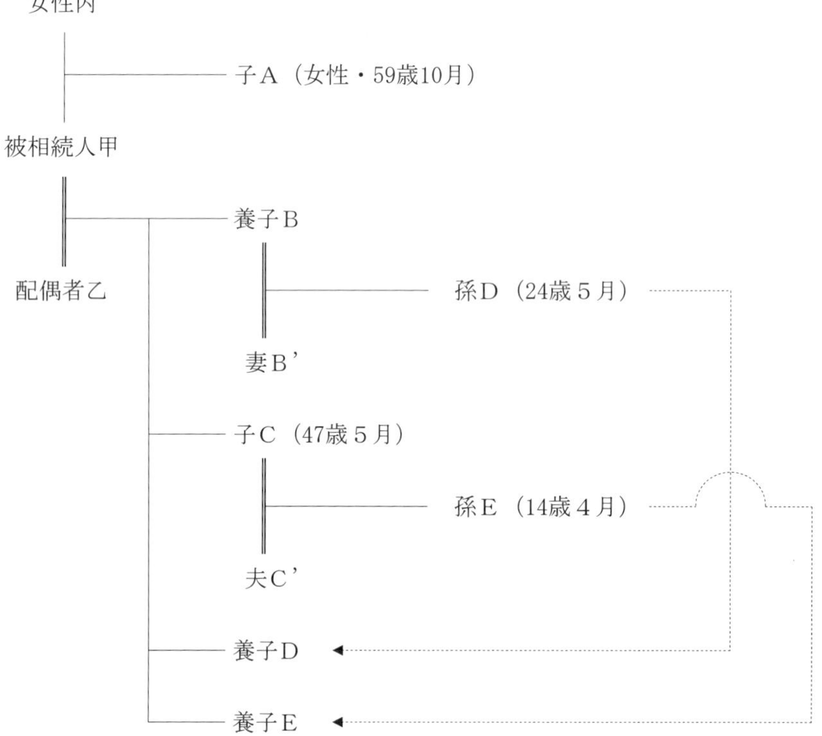

（注）1　年齢は被相続人甲の相続開始時のもので、年齢表示のある者を除き、相続人等は18歳以上である。

2　被相続人甲は、子Ａを出生と同時に認知している。

3　被相続人甲の生年月日は昭和12年４月７日である。

4　被相続人甲と養子Ｂは平成６年５月６日に適法に養子縁組している。

5　孫Ｄ及び孫Ｅは、それぞれ出生と同時に被相続人甲と適法に養子縁組をしている。

6　女性丙は相続開始以前に死亡している。

7　孫Ｅは、被相続人甲の死亡に係る相続について適法に相続放棄している。

8　相続人等は、相続開始時において全員日本国内に住所を有している。また、日本以外に住所を有したことはない。

9　被相続人甲と生前に同居していた者は配偶者乙だけで、乙が所有する居住用不動産に居住していた。

子Ａ並びに養子Ｂ及びその家族（妻Ｂ’及び孫Ｄ）は被相続人甲からの仕送りにより生活しており、被相続人甲の扶養親族となって生計を一にしていた。

3　被相続人甲の遺産等は、被相続人甲が適法に作成した自筆証書遺言に基づき、それぞれ以下のとおり受遺者に遺贈されており、受遺者のうち遺贈を放棄した者はいない。

（注）1　宅地（宅地の上に存する権利を含む。）及び家屋はすべて借地権割合が50%、借家権割合が30%である地域に所在しているものとする。

2　利子所得等に係る源泉徴収されるべき税額を計算する必要がある場合には、20.315%の率とする。

(1) 配偶者乙が取得した財産

①　Ｇ市に所在する宅地　　300㎡

この宅地は、路線価方式適用地域（普通商業・併用住宅地区）に所在し、その地形等は次のとおりである。

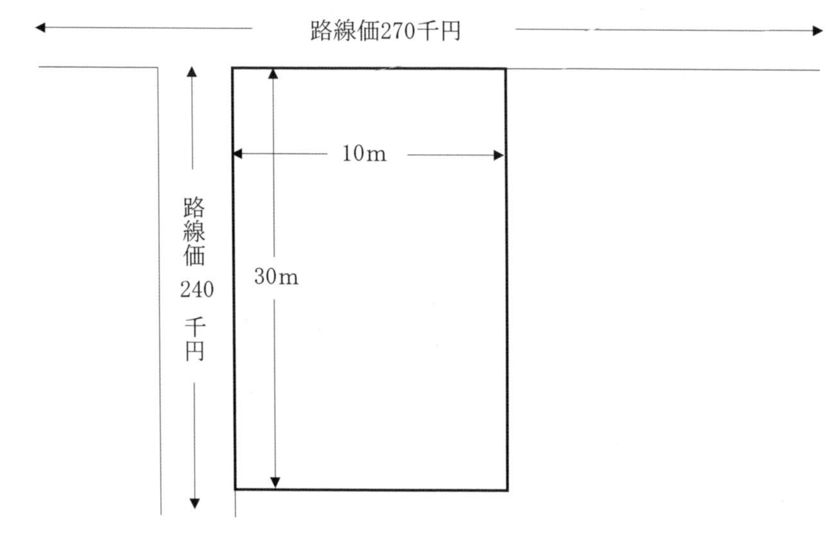

② G市に所在する家屋　160㎡　　　固定資産税評価額　12,500,000円

この家屋は、①の宅地の上に建てられているものであり、養子B及びその家族の居住の用に供されていた。養子Bは被相続人甲へ家賃等の支払はしていなかったが、固定資産税は負担していた。

(2) 子Aが取得した財産

① H市に所在する宅地　120㎡

この宅地は、路線価方式適用地域（普通商業・併用住宅地区）に所在し、その地形等は次のとおりである。この宅地は、被相続人の別荘の用（建物は下記⑦のその他の財産に含まれているものとする。）に供されていたもので、子Aは申告期限においてこの宅地を所有しており別荘の用に供している。

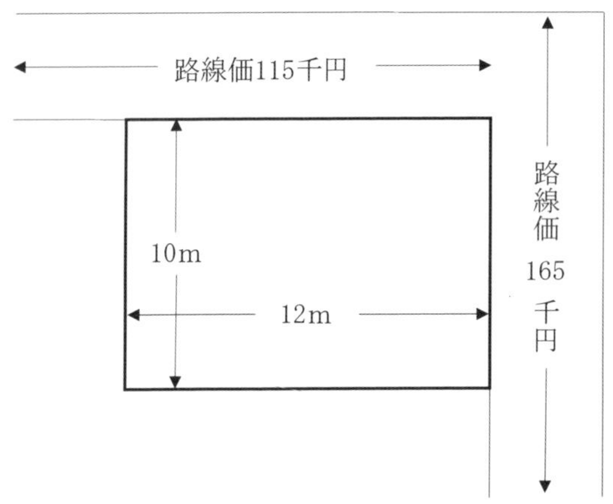

② K市に所在する宅地　96㎡

この宅地は、路線価方式適用地域（普通商業・併用住宅地区）に所在し、その地形等は次のとおりである。

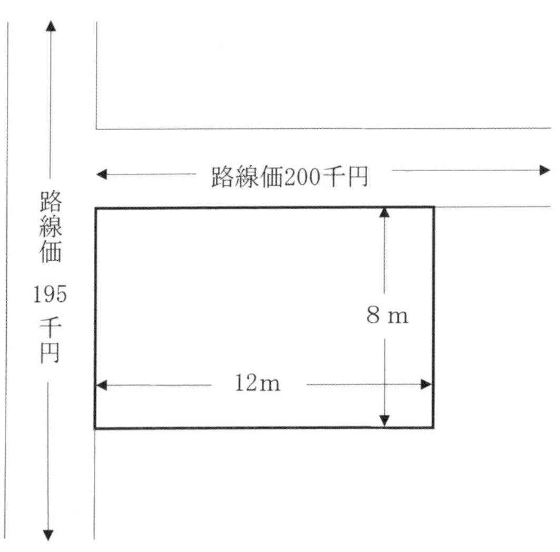

③　K市に所在する家屋　　80㎡　　　　　　　　　固定資産税評価額　　6,500,000円

この家屋は、②の宅地の上に建てられているものであり、子Aの居住の用に供されていた。子Aは被相続人甲へ家賃等の支払はしていなかったが、固定資産税は負担していた。子Aは申告期限においても②の宅地及びこの家屋を所有し、この家屋に居住している。

④　③の家屋に係る附属設備等　　　　　　　　　　　調達価額　　3,000,000円

この附属設備等は、③の家屋に取り付けられており、構造上一体となっている塵芥処理設備等である。

⑤　門及び塀の設備

この門及び塀は、②の宅地の上に存するものであり、その評価に必要な資料等は次のとおりである。

イ　課税時期において同資産を新築した場合における価額　　　　　5,000,000円

ロ　課税時期において同資産を現状にて取得した場合における価額　4,500,000円

ハ　建築の時から課税時期までの期間の減価の額の合計額（定率法）　2,500,000円

⑥　J転換社債　　券面額　　10,000,000円

この転換社債は、東京証券取引所に上場されており、その内容は次のとおりである。また、転換社債の発行会社の株式も東京証券取引所に上場している。

イ　発行価額（券面額100円あたり）　100円

ロ　利率　年0.8％

ハ　既経過日数　73日

ニ　転換価格　1,000円

ホ　転換社債の発行会社の株式の課税時期における価額　1,200円

ヘ　転換社債の課税時期における市場価格　101円

⑦　その他の財産　　時価　　13,080,851円

(3)　養子Dが取得した財産

①　I株式会社の株式　　10,000株

この株式は、東京証券取引所に上場している株式で、その株価等の状況は、次のとおりである。

イ　株価の状況

令和７年６月27日の株価　990円

令和７年６月の毎日の株価の月平均額　991円

令和７年５月の毎日の株価の月平均額　987円

令和７年５月１日から５月29日までの毎日の株価の平均額　988円

令和７年５月30日から５月31日までの毎日の株価の平均額　989円

令和７年４月の毎日の株価の月平均額　992円

ロ　配当金交付の基準日　令和７年５月31日

ハ　配当落ちの日　令和７年５月30日

ニ　予想配当金額　株式１株につき20円

② Ｌ株式会社（以下「Ｌ社」という）の株式　10,000株

この株式の評価に必要な資料は、次のとおりである。

イ　Ｌ社の資本金等の額（法人税法第２条第16号に規定する資本金等の額をいう。）は300,000,000円であり、発行済株式総数は60,000株（すべて普通株式であり、議決権は100株につき１個とする）である。

ロ　相続開始直前における株主の構成は以下のとおりである。

被相続人甲	10,000株
養子Ｄ	5,000株
被相続人甲の友人丁及びその同族関係者	15,000株
被相続人甲の友人戊及びその同族関係者	15,000株
被相続人甲の友人己及びその同族関係者	15,000株

※　丁、戊、己は互いに同族関係者ではない。

ハ　Ｌ社の事業年度は１年で、決算期は９月30日である。

ニ　Ｌ社は書籍・文房具小売業を営む会社で、その株式は取引相場のない株式であり、その評価上の区分は大会社である。

ホ　Ｌ社株式の１株あたり類似業種比準価額は5,500円である。

ヘ　課税時期におけるＬ社の株式の１株当たりの純資産価額（相続税評価額によって評価した金額）は、5,303円である。

ト　養子Ｄは申告期限においてＬ社の役員ではない。

③ 絵画　　時価　　1,125,530円

(4) 上記(1)から(3)以外の事項

子Ａの相続分は４分の１とすること。

4　上記３の遺贈財産以外の被相続人甲の遺産等は次のとおりである。これらについては、申告期限までに各相続人間で分割協議は調っておらず、下記５以降に被相続人甲の遺産に該当するものがあればそれは含まれていない。

(注)　宅地（宅地の上に存する権利を含む。）及び家屋はすべて借地権割合が50%、借家権割合が30%である地域に所在しているものとする。

(1) M市に所在する借地権　　150㎡

この借地権は、路線価方式適用地域（普通商業・併用住宅地区）に所在し、その地形等は次のとおりである。

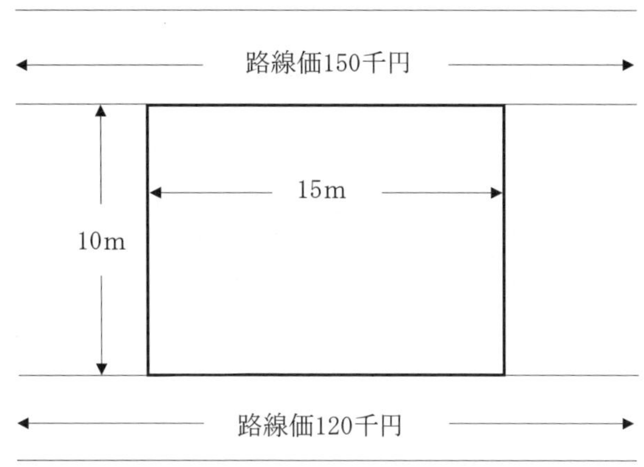

(2) M市に所在する家屋　　120㎡　　固定資産税評価額　3,000,000円

この家屋は、(1)の借地権の上に建てられているものであり、被相続人甲が平成27年から営む飲食業の事業の用に供されていた。

(3) N市に所在する山林　　10ha　　固定資産税評価額　600,000円

この山林は、中間山林であり、相続税の評価倍率は、6.0倍である。

(4) N市に所在する立木（杉）　　標準価額　900,000円

この立木は、(3)の山林に生立するものであり、その評価に必要な資料は次のとおりである。

① 地味級割合　1.3

② 立木度割合　0.8

③ 地利級割合　1.2

④ 総合等級割合　1.24

(5) その他一般動産　　時価　237,000円

(6) 被相続人甲の相続開始時における債務　　5,000,000円

全て債務控除の対象となるものである。

(7) 被相続人甲の葬式に要した費用　　3,600,000円

この葬式費用は配偶者乙が立替払いをしているが、申告期限においても負担者は定まっていない。

5　被相続人甲の死亡退職に伴い、甲が生前勤務していたL社から配偶者乙に対し退職手当金30,000,000円が支給された。なお、被相続人甲が受けるべきであった賞与で甲の死亡後に確定したもの1,500,000円及び相続開始時において支給期の到来していない給与900,000円があるが、

これらについては取得者が定まっていない。

6　被相続人甲が保険料の一部又は全部を負担していた生命保険契約は次のとおりである。いずれの契約も日本国内に本店のある保険会社で締結されている。

保険金受取人	保険契約者	被保険者	保険金額	保険料負担者	(注)
子　A	被相続人甲	被相続人甲	年1,500,000円	被相続人甲　2分の1 子　A　2分の1	1
養子E	被相続人甲	被相続人甲	10,000,000円	被相続人甲　全額	
子　C	被相続人甲	配偶者乙	10,000,000円	被相続人甲　全額	2

(注)1　この契約は保険金受取人である子Aの生存中支給し、子Aが10年以内に死亡した場合には、残存期間について遺族に対し支給を継続する契約となっている。なお、定期金にかえて一時金を受ける場合の一時金の額は12,000,000円であるが、子Aは年金により支給を受けることとした。

2　取得者は定まっておらず、解約返戻金の額は1,500,000円である。

7　相続人等は被相続人甲から生前に次のとおりの贈与を受けており、適正に贈与税の申告及び納付を行っている。また、これらの贈与は全て生計の資本としての贈与と認められる。なお、受贈者はいずれも相続時精算課税の適用を受けていない。

贈与年月日	受贈者	贈与財産	贈与時の時価	相続開始時の時価	(注)
令和3年11月26日	子C	上場株式	10,000,000円	(注)1参照	1
令和4年7月5日	子A	満期保険金	10,000,000円	10,000,000円	
令和5年5月16日	子C	現金	20,000,000円	20,000,000円	2

(注)1　子Cはこの上場株式を令和6年4月に6,000,000円で売却している。なお、この株式を売却せずに所有していた場合の相続開始時の価額は12,000,000円である。

2　子Cはこの贈与について、旧租税特別措置法第70条の2に規定する「住宅取得等資金の贈与を受けた場合の贈与税の非課税」の適用を受けている。なお、この現金で取得した住宅用の家屋はエネルギーの使用の合理化に著しく資する住宅用の家屋と認められるものである。

〔資料２〕

1　宅地等の価額を求める場合の普通商業・併用住宅地区における奥行価格補正率等（抜粋）

(1) 奥行価格補正率

８m以上10m未満　0.97

10m以上12m未満　0.99

12m以上32m未満　1.00

32m以上36m未満　0.97

(2) 側方路線影響加算率

角　地　0.08　　準角地　0.04

(3) 二方路線影響加算率　0.05

(4) 奥行長大補正率

３以上４未満　0.99

４以上５未満　0.98

2　完全生命表による平均余命（女）

58歳　31.27年

59歳　30.35年

60歳　29.42年

3　予定利率による複利年金現価率

10年　9.471

28年　24.316

29年　25.066

30年　25.808

31年　26.542

⇨解答：172ページ

問題 10	制限時間　70分
	難 易 度　B

被相続人甲の相続人及び受遺者の納付すべき相続税額に関する〔資料１〕及び〔資料２〕に基づいて、次の問いに答えなさい。なお、解答は、答案用紙の所定の箇所に記入しなさい。

1　相続人及び受遺者（以下「相続人等」という。）の相続税の課税価格に関する次の金額を計算の過程を示して求めなさい。

⑴　〔資料１〕の「４」及び「８」で明らかにされている相続又は遺贈により取得した個々の財産（次の⑵に該当するものを除く。）の価額

⑵　相続又は遺贈によるみなし取得財産の価額

⑶　課税価格から控除すべき債務及び葬式費用の額

⑷　課税価格に加算する贈与財産（暦年贈与財産）の価額

⑸　相続人等の課税価格

なお、各人の課税価格に算入する金額の計算に当たって２以上の計算方法がある場合には、設問中に特に指示されている事項を除き、各人の課税価格が最も少なくなる方法を選択するものとする。また、小規模宅地等の特例の計算（特例の選択過程を含む。）については、答案用紙の「小規模宅地等の特例の計算」欄に記入することとし、その適用を受ける財産の答案用紙の「課税価格に算入される金額」欄には、この適用を受ける前の評価額を記入しなさい。なお、いずれの者も相続税の納税猶予及び免除の適用は受けないものとする。

また、宅地等は４で示されたもの以外はないものとする。

2　相続人等の納付すべき相続税額に関する次の金額を計算の過程を示して求めなさい。

⑴　相続税の総額

⑵　相続人等の納付すべき相続税額

⑶　相続税額の２割加算金額及び控除金額

なお、各人の算出相続税額の計算に当たってのあん分割合は、端数を調整しないで計算することとする。

〔資料１〕

1　被相続人甲は、令和７年６月28日に東京都M区の自宅で病気療養中に死亡した。相続人等は、同日その事実を知った。

2　被相続人甲の相続人等の状況は、次の図に示すとおりである。

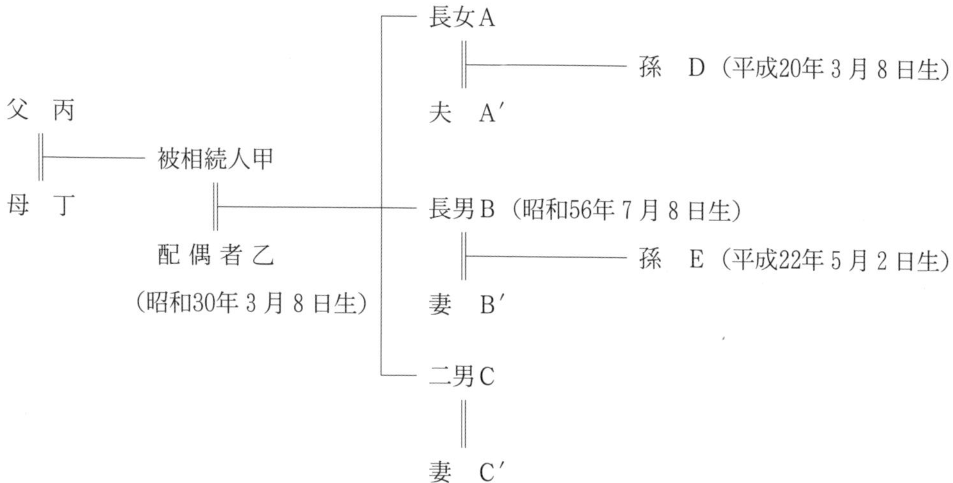

（注１）被相続人甲は、相続開始時において、日本国籍を有する者であり、出生以来日本国内に住所を有していた。また、配偶者乙とは、昭和51年７月10日に婚姻している。

（注２）被相続人甲は、昭和26年８月９日生まれであり、相続人等で生年月日の表示のない者は相続開始時においてすべて18歳以上である。

（注３）相続人等は被相続人甲の相続開始時においていずれも国内に住所を有していた。

（注４）長女Aは、被相続人甲の相続開始前に既に死亡している。

（注５）長男Bは、被相続人甲の死亡に係る相続について家庭裁判所に申述し、適法に相続の放棄をしている。

（注６）被相続人甲の相続開始日現在未成年者に該当する相続人等は、過去に相続税の未成年者控除の適用を受けたことはない。

3　被相続人甲の遺産等（財産の所在は、特に記載があるものを除き、いずれも日本国内にある。）を取得した相続人等の相続税に係る純資産価額（相続又は遺贈により取得した財産の価額から債務及び葬式費用の金額を控除した金額。以下８において同じ。）は、次のとおりである。

相続人等	純資産価額
配偶者乙	312,870,228円
長 男 B	531,992,880円
母 丁	91,605,024円
二 男 C	52,000,000円
孫 D	35,000,000円
合 計	1,023,468,132円

4　被相続人甲の遺産等に関して判明している事項は、次のとおりである。

(1)　被相続人甲が適法な手続により作成した公正証書遺言の内容の一部は次のとおりであり、各財産は遺言書に基づき受遺者に遺贈されている。なお、受遺者はいずれも遺贈の放棄をしていない。また、被相続人甲の遺産のうちに(1)に掲げる宅地以外の土地等及び立木はない。

（注１）宅地及び家屋は、すべて普通住宅地区で借地権割合が60%、借家権割合が30%である地域に所在しているものとする。

（注２）源泉徴収されるべき所得税額を計算する必要がある場合には、20.315%の率とする。

（注３）取引相場のない株式の評価上、評価差額に対する法人税額等に相当する金額を計算する場合の率は、37%とする。

①　配偶者乙が取得した財産

イ　M区の宅地　　240㎡

この宅地は、路線価地域に所在し、その地形等は次のとおりである。

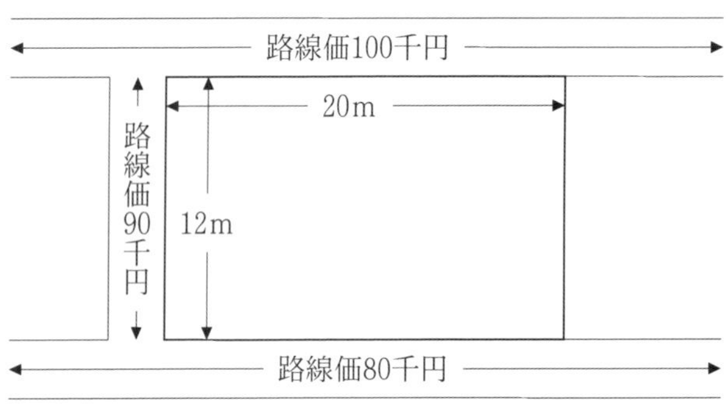

ロ　M区の家屋　　640㎡　　固定資産税評価額 100,000,000円

この家屋は、イの宅地の上に建てられている鉄筋コンクリート造６階建のビルで、各階の利用状況は次のとおりであり、配偶者乙から被相続人甲への１階及び２階に係る家賃等の支払はなかった。なお、利用効率は各階均等であるものとし、イの宅地は家屋の利用状況に応じて使用されているものとする。また、相続税の申告期限においても利用状況に変更はない。

1　階　120㎡｝平成15年5月から配偶者乙が営んでいる物品販売業の店舗の用に供
2　階　120㎡｝している。

3　階　120㎡｝
4　階　100㎡｝被相続人甲が平成15年5月から賃貸借契約により第三者に貸し付け
5　階　100㎡｝ていた。

6　階　80㎡　被相続人甲及び配偶者乙の居住の用に供していた。

ハ　ロの家屋に係る附属設備等　　　調達価額 1,800,000円

この附属設備等は、ロの家屋と構造上一体となっている給排水設備及び温湿度調整設備である。

ニ　N株式会社（以下「N社」という。）の株式　1,200,000株

この株式の評価に必要な資料は、次のとおりである。なお、配偶者乙は、相続税の申告期限までに役員に就任していない。

(イ)　N社の資本金等の額は100,000,000円であり、発行済株式数（すべて普通株式であり、議決権は1,000株につき1個とする。）は2,000,000株である。

(ロ)　N社の事業年度は1年で、決算期は9月である。

(ハ)　N社は道路貨物運送業を営む会社で、その株式は取引相場のない株式であり、その評価上の区分は大会社である。なお、株式等保有特定会社及び土地保有特定会社のいずれにも該当しない。

(ニ)　株主の構成は、次のとおりである（被相続人甲の株式を配偶者乙が取得する直前の状況である。）。

被相続人甲	1,200,000株
配偶者乙	200,000株
甲の友人戊	600,000株

(ホ)　類似業種の比準要素等の金額は、次のとおりである。

㋑　類似業種の株価

令和7年6月	146円
令和7年5月	148円
令和7年4月	151円
令和6年平均	149円
令和7年6月以前2年間の平均	147円

㋺　類似業種の1株当たりの年配当金額	12円
㋩　類似業種の1株当たりの年利益金額	53円
㋥　類似業種の1株当たりの純資産価額	500円

(ヘ) N社の比準要素の金額は、次のとおりである。

直前期末以前１年間における年配当金額	０円
直前々期末以前１年間における年配当金額	０円
直前々期の前期末以前１年間における年配当金額	０円
直前期末以前１年間における年間の利益金額	０円
直前々期末以前１年間における年間の利益金額	０円
直前々期の前期末以前１年間における年間の利益金額	０円
直前期末における純資産価額（帳簿価額）	900,000,000円
直前々期末における純資産価額（帳簿価額）	960,000,000円

(ト) 課税時期におけるN社の株式の１株当たりの純資産価額（相続税評価額によって計算した金額）は、156円である。

ホ　定期預金　　預入額　10,000,000円

この定期預金の内容は、次のとおりである。

(イ) 預入日数　　　　438日

(ロ) 約定期間　　　　２年

(ハ) 約定利率　　　　年1.20%

(ニ) 中間利払利率　　年0.70%

(ホ) 中途解約利率　　年0.60%

ヘ　動産等　　時　価　6,000,000円

この中には、購入後、現在まで銀行の貸金庫に保管してある純金の仏像2,000,000円が含まれている。

② 長男Bが取得した財産

イ　O株式会社（以下「O社」という。）の株式　　30,000株

この株式の評価に必要な資料は、次のとおりである。なお、長男Bは、相続税の申告期限においてO社の役員となっている。

(イ) O社の資本金等の額は15,000,000円であり、発行済株式数は30,000株（すべて普通株式であり、議決権は100株につき１個とする。）である。

(ロ) O社の事業年度は１年で、決算期は10月である。

(ハ) O社は製造業を営む会社で、その株式は取引相場のない株式であり、その評価上の区分は小会社である。

(ニ) 株主の構成は、次のとおりである（被相続人甲の株式を長男Bが取得する直前の状況である。）。

被相続人甲　　　30,000株

(ホ) 課税時期におけるO社の類似業種比準価額は、5,200円である。

㈬ 課税時期におけるO社の資産及び負債の状況は、次のとおりである。

区　分	資産の価額				負債の金額
	土　地	株式等	その他の資産	計	
帳簿価額	円 200,000,000	円 220,000,000	円 80,000,000	円 500,000,000	円 50,000,000
相続税評価額	480,000,000	390,000,000	80,000,000	950,000,000	50,000,000

ロ　利付社債　　券面額　5,000,000円

この利付社債は、東京証券取引所に上場している社債で、その評価に必要な資料は、次のとおりである。

㈠ 発行価額（券面額100円当たり）　96.50円

㈡ 課税時期の市場価格　98.30円

㈢ 利率　年0.5%

㈣ 既経過日数　73日

ハ　貸付金債権　　元本の価額　1,000,000円

この貸付金債権は友人戊に対するものであり、課税時期において既経過利息として支払を受けるべき金額は15,000円である。

ニ　ゴルフ会員権　　1口

この会員権は、株主であり、かつ、預託金を預託しなければ会員となれないものであり、その評価に必要な資料は次のとおりである。

㈠ 課税時期における通常の取引価格　2,000,000円

㈡ 預託金の額（上記㈠の取引価格に含まれておらず、ゴルフクラブの規約により課税時期において全額返還を受けることができることとなっている。）　500,000円

ホ　別荘及び別荘地　　時価（邦価換算額）　10,000,000円

この別荘及び別荘地は、Z国に所在するもので、この取得に関しては、Z国の法令により相続税に相当する税3,200,000円が課されている。

問題10

問題

③　母丁が取得した財産

イ　P市の宅地　　448㎡

この宅地は、路線価地域に所在し、その地形等は次のとおりである。なお、母丁は、この宅地を相続税の申告期限においても所有している。

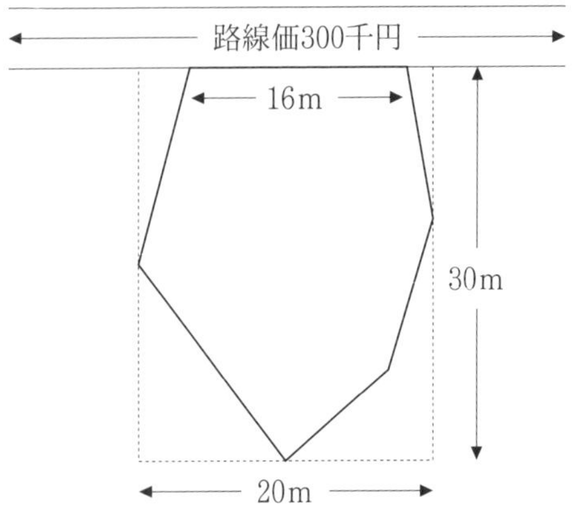

実線部分………実際の地形

点線部分………想定整形地

ロ　P市の家屋　　300㎡　　　固定資産税評価額　9,000,000円

この家屋は、イの宅地の上に建てられているもので、母丁が居住の用に供しているものであり、被相続人甲への家賃等の支払はなかった。母丁は、この家屋を相続税の申告期限においても引き続き居住の用に供している。なお、母丁は被相続人甲から生活費の仕送りを毎月受けており、被相続人甲の扶養親族となっていた。

(2)　遺贈された財産以外の被相続人甲の遺産（すべて預貯金等の流動資産である。）80,000,000円については、令和7年9月30日に分割協議が行われ、各相続人は民法第900条〔法定相続分〕及び第901条〔代襲相続分〕の規定による相続分に応じて取得した。

(3)　被相続人甲の相続開始の時の債務は以下のとおりであり、すべて配偶者乙が負担することとなった。

①　上記(1)①イ及びロに係る銀行借入金　　15,000,000円

②　上記(1)①への純金の仏像に係る未払金　　200,000円

③　被相続人甲に係る未払公租公課　　800,000円

5　被相続人甲の葬式に要した費用は以下のとおりであり、すべて配偶者乙が負担した。なお、香典3,000,000円は配偶者乙が取得した。

(1)　本葬式の費用　　4,500,000円

(2)　通夜に要した費用　　500,000円

(3)　香典返戻費用　　2,000,000円

6　被相続人甲の死亡を保険事故として、次の生命保険契約の保険金が保険金受取人に対して支払われた。

保険契約者	保険金受取人	保険金額	保険料負担者等	(注)
被相続人甲	配偶者乙	定期金	甲全額	1
配偶者乙	長男B	定期金	甲2分の1、乙2分の1	2
被相続人甲	二男C	36,000,000円	甲全額	3
配偶者乙	孫D	25,000,000円	甲全額	4

（注1）年2,000,000円で10年間支給されるものであり、その評価に必要な資料は次のとおりである。なお、配偶者乙は定期金により取得することとした。

(1)　課税時期における解約返戻金　18,000,000円

(2)　定期金に代えて一時金で受ける場合の一時金の金額　19,000,000円

（注2）年1,000,000円で受取人の生存中支払われるものであり、課税時期における解約返戻金は30,000,000円である。

（注3）いわゆる掛捨保険契約である。

（注4）契約者貸付金5,000,000円（元利合計額）が控除された。

7　N社から被相続人甲の死亡退職に伴い退職功労金36,000,000円が支給された。なお、この退職功労金については、配偶者乙、長男B及び二男Cが均等に取得することとなった。

8　上記のほか、相続税の申告期限までに、次の事項が判明している。

(1)　相続人等が被相続人甲から生前に贈与を受けた状況は、次のとおりである。

なお、受贈者のうち、配偶者乙は、次に掲げるもののほか、令和4年中に母丁からも現金2,000,000円、孫Dは、次に掲げるもののほか、令和5年中に母丁からも現金600,000円の贈与を受けている。

また、受贈者のうち、相続時精算課税の規定の適用を受けている者はいない。

贈与年月日	受贈者	贈与財産	贈与時の時価	相続開始時の時価
令和4年3月10日	配偶者乙	日本国債	1,000,000円	1,300,000円
令和4年9月21日	配偶者乙	現金	3,000,000円	3,000,000円
令和5年2月10日	母丁	日本国債	(注)	9,900,000円
令和5年6月1日	孫D	上場株式	3,178,000円	3,500,000円
令和6年11月28日	孫E	現金	2,000,000円	2,000,000円

(注) この贈与契約は、被相続人甲の死亡により効力を生ずるものである。なお、贈与契約時の時価は9,800,000円である。

(2) 父丙は平成30年10月４日に死亡したが、その際の相続税の申告内容の一部は、次のとおりである。

相続人 ＼ 項目	被相続人甲
① 純資産価額	36,000,000円
② 生前贈与加算額	4,000,000円
③ 課税価格	40,000,000円
④ 納付すべき税額	6,000,000円

（注）父丙の相続に関し、相続の放棄をした者はいない。

〔資料２〕

1 予定利率による複利年金現価率（抜粋）

10年　9.471

38年　31.485

39年　32.163

40年　32.835

2 終身定期金を計算する場合における各年齢に応ずる余命年数（抜粋）

性別 ＼ 年齢	男	女
42歳	40.58	46.42
43歳	39.62	45.45
44歳	38.67	44.49

3 宅地の価額を求める場合の普通住宅地区における奥行価格補正率等（抜粋）

(1) 奥行価格補正率

８ｍ以上10ｍ未満　0.97

10ｍ以上24ｍ未満　1.00

24ｍ以上28ｍ未満　0.97

28ｍ以上32ｍ未満　0.95

(2) 側方路線影響加算率

角　地　0.03

準角地　0.02

(3) 二方路線影響加算率　0.02

4　宅地の価額を求める場合の普通住宅地区における不整形地補正率等（抜粋）

（地積区分表）

地積区分	A	B	C
	500㎡未満	500㎡以上　750㎡未満	750㎡以上

（不整形地補正率表）

かげ地割合＼地積区分	A	B	C
10%以上	0.98	0.99	0.99
15%以上	0.96	0.98	0.99
20%以上	0.94	0.97	0.98
25%以上	0.92	0.95	0.97
30%以上	0.90	0.93	0.96
35%以上	0.88	0.91	0.94
40%以上	0.85	0.88	0.92
45%以上	0.82	0.85	0.90
50%以上	0.79	0.82	0.87

⇨解答：180ページ

TAX ACCOUNTANT

解答編

問題 1	解　答

※　□で囲まれた数字は配点を示す。

1　相続人等の相続税の課税価格の計算（36点）

(1)　相続又は遺贈により取得した個々の財産（次の(2)に該当するものを除く。）の価額の計算（22点）(単位：円)

財産の種類	計　算　過　程	取得者	課税価格に算入される金額
宅　地　H	(255,000×0.93＋230,000×0.95×0.03)×0.97 ×0.94*(円未満切捨)×231㎡＝51,330,510 ＊　$\frac{33m}{7m}$＝4.71…　∴　0.94	配偶者乙	2　51,330,510
建　物　I	16,000,000×1.0＝16,000,000	配偶者乙	16,000,000
宅　地　J	200,000×1.00×210㎡×(1－60%×30%) ＝34,440,000	配偶者乙	2　34,440,000
建　物　K	6,460,000×1.0×(1－30%)＝4,522,000	配偶者乙	2　4,522,000
宅　地　L	320,000×1.00×0.98*×180㎡＝56,448,000 ＊　$\frac{20m}{9m}$＝2.22…　∴　0.98	母　丁	2　56,448,000
宅　地　M	(650,000×1.00＋620,000×1.00×0.03)×360㎡ ×$\frac{80}{100}$＝192,556,800	養子C	2　192,556,800
O社の株式	(1)　評価方式の判定 $\frac{1,800個(C)+500個(乙)}{4,500個}$＝51.11…%＞50% $\frac{1,800個}{4,500個}$＝40%≧5% ∴　Cは同族株主に該当し、かつ、株式取得後の議決権割合が5%以上であるため、原則的評価方式。 (2)　評価額 1,428＜1,939 ∴　1,428×100,000株＝142,800,000	養子C	2　142,800,000
P社の株式	(1)　東　京 ①　527　②　530　③　$\frac{794}{1+0.5}$ ＝529(円未満切捨)		

	④ $\frac{792}{1+0.5}$ =528　∴ 527		
	(2) 名古屋		
	① 528　② 531　③ $\frac{793}{1+0.5}$		
	=528(円未満切捨)		
	④ $\frac{790}{1+0.5}$ =526(円未満切捨)　∴ 526		
	(3) (1)>(2)　∴ 526×5,000株=2,630,000	妹　E	2 2,630,000
株式無償交付期待権	526×5,000株×0.5=1,315,000	妹　E	1,315,000
貸付金債権	3,000,000+22,500=3,022,500	養子D	2 3,022,500
定期預金	10,000,000+(10,000,000×0.21%× $\frac{511日}{365日}$		
	−10,000,000×0.25%)×(1−20.315%)*		
	=10,003,507	母　丁	2 10,003,507
	* 源泉徴収税額円未満切捨		
普通預金		母　丁	2 1,587,600
家庭用財産		配偶者乙	400,000
その他の流動資産	56,000,000× $\frac{3}{4}$ =42,000,000	配偶者乙	42,000,000
	56,000,000× $\frac{1}{4}\times\frac{2}{7}$ = 4,000,000	養子C	4,000,000
	56,000,000× $\frac{1}{4}\times\frac{2}{7}$ = 4,000,000	養子D	4,000,000
	56,000,000× $\frac{1}{4}\times\frac{1}{7}$ = 2,000,000	妹　E	2,000,000
	56,000,000× $\frac{1}{4}\times\frac{2}{7}$ = 4,000,000	甥　G	2 4,000,000

(2) 相続又は遺贈によるみなし取得財産の価額の計算(6点)　(単位:円)

財産の種類	計　算　過　程	取得者	課税価格に算入される金額
生命保険金	20,000,000+35,000,000=55,000,000	配偶者乙	2 55,000,000
		妹　E	25,000,000
非課税金額	(1) 5,000,000×2人=10,000,000		
	(2) 55,000,000+25,000,000=80,000,000		
	(3) (1)<(2)　∴		
	10,000,000× $\frac{55,000,000}{80,000,000}$ =6,875,000	配偶者乙	△6,875,000
	10,000,000× $\frac{25,000,000}{80,000,000}$ =3,125,000	妹　E	△3,125,000

定期金に関する権利	$3,200,000 \times \frac{1}{2} = 1,600,000$	配偶者乙	2 1,600,000
退職手当金等	50,000,000＋(4,000,000－500,000× 6 月) ＝51,000,000	配偶者乙	2 51,000,000
非課税金額	5,000,000× 2 人＝10,000,000＜51,000,000 ∴ 10,000,000	配偶者乙	△10,000,000

(3) 小規模宅地等の特例の計算（２点） （単位：円）

① 特例対象宅地等

乙（特定居住用宅地等） $51,330,510 \div 231㎡ \times \frac{80}{100} \times 330 = 58,663,440$

乙（貸付事業用宅地等） $34,440,000 \div 210㎡ \times \frac{50}{100} \times 200 = 16,400,000$

C（特定同族会社事業用宅地等） $192,556,800 \div 360㎡ \times \frac{80}{100} \times 400 = 171,161,600$

② 調整計算による減額金額

C（特定同族会社事業用宅地等）から360㎡ $\left[\frac{360㎡}{400㎡} = 90\%\right]$ 及び

乙（特定居住用宅地等）から33㎡ ｛330㎡×（１－90%)｝を選択する。

C $192,556,800 \times \frac{360㎡}{360㎡} \times \frac{80}{100} = 154,045,440$

乙 $51,330,510 \times \frac{33㎡}{231㎡} \times \frac{80}{100} = 5,866,344$

154,045,440＋5,866,344＝159,911,784

③ 併用による減額金額

C $192,556,800 \times \frac{360㎡}{360㎡} \times \frac{80}{100} = 154,045,440$

乙 $51,330,510 \times \frac{231㎡}{231㎡} \times \frac{80}{100} = 41,064,408$

154,045,440＋41,064,408＝195,109,848

④ ②＜③ ∴ ③

特例適用対象財産	取得者	課税価格から減額される金額
宅地M	養子C	2 154,045,440
宅地H	配偶者乙	41,064,408

(4) 課税価格から控除すべき債務及び葬式費用（４点） （単位：円）

債務及び葬式費用	負担者	計算過程	金額
債務	配偶者乙	遺言執行費用及び保証債務は控除できない。	2 3,000,000
葬式費用	配偶者乙	香典返しの費用及び遺体解剖費用は控除できない。	2 5,664,000

(5) 課税価格に加算する贈与財産（暦年課税分）価額の計算　（単位：円）

贈与年分	受贈者	計算過程	加算される贈与財産価額
令和5年	配偶者乙		6,000,000
令和6年	妹　E		15,000,000
令和7年	母　丁		8,000,000

(6) 相続人等の課税価格の計算（2点）　（単位：円）

区分＼相続人等	配偶者乙	母　丁	養子C	妹　E	養子D	甥　G	計
相続又は遺贈による取得財産	107,628,102	68,039,107	185,311,360	5,945,000	7,022,500	4,000,000	
みなし取得財産	90,725,000			2 21,875,000			
債務及び葬式費用	△8,664,000						
生前贈与加算（暦年課税分）	6,000,000	8,000,000		15,000,000			
課税価格（1,000円未満切捨）	195,689,000	76,039,000	185,311,000	42,820,000	7,022,000	4,000,000	510,881,000

2 納付すべき相続税額の計算（14点）

(1) 相続税の総額の計算（2点）

課税価格の合計額		遺産に係る基礎控除額	課税遺産額
510,881 千円		30,000+6,000×2人 =42,000 千円	468,881 千円
法定相続人	法定相続分(分数)	法定相続分に応ずる取得金額	相続税の総額の基となる税額
配偶者乙	$\frac{2}{3}$	312,587 千円	114,293,500 円
母　丁	$\frac{1}{3}$	156,293	45,517,200
合計　2人	1		（100円未満切捨） 159,810,700 円

（注）法定相続人、法定相続分、法定相続人の数及び基礎控除額すべてできて 2

(2)　相続人等の納付すべき相続税額の計算（８点）　　(単位：円)

区分＼相続人等		配偶者乙	母　丁	養子Ｃ	妹　Ｅ	養子Ｄ	甥　Ｇ	計
算出税額		61,214,247	23,786,059	57,967,864	13,394,693	2,196,579	1,251,255	
加算又は減算	相続税額の２割加算			11,593,572	2,678,938	439,315	250,251	
	贈与税額控除額（暦年課税分）	2△820,000	2　――		△4,505,000			
	配偶者の税額軽減額	△60,394,247						
	未成年者控除額						2　――	
差引税額		0	23,786,059	69,561,436	11,568,631	2,635,894	1,501,506	
贈与税額控除額（相続時精算課税分）								
納付税額（100円未満切捨）		2　{　0	23,786,000	69,561,400	11,568,600	2,635,800	1,501,500	}

（注）相続税額の２割加算及び控除金額の計算過程は、次の(3)に記載する。

(3)　相続税額の２割加算及び控除金額の計算（４点）　　(単位：円)

加算及び控除の項目	対象者	計算過程	金額
相続税額の２割加算（対象者2）	養子Ｃ	$57,967,864\times\frac{20}{100}=11,593,572$	11,593,572
	妹　Ｅ	$13,394,693\times\frac{20}{100}=2,678,938$	2,678,938
	養子Ｄ	$2,196,579\times\frac{20}{100}=439,315$	439,315
	甥　Ｇ	$1,251,255\times\frac{20}{100}=250,251$	250,251
贈与税額控除額（暦年課税分）	配偶者乙	(6,000,000－1,100,000)×30%－650,000 ＝820,000	820,000
	妹　Ｅ	(15,000,000－1,100,000)×45%－1,750,000 ＝4,505,000	4,505,000
	母　丁	相続開始年分の被相続人からの贈与であるため、贈与税は非課税。	――
配偶者の税額軽減額（計算パターン2）	配偶者乙	(1)　61,214,247－820,000＝60,394,247 (2)①　$510,881,000\times\frac{2}{3}=340,587,333$ ≧160,000,000　∴　340,587,333	

		②　195,689,000(千円未満切捨) ③　①>②　　∴　195,689,000 ④　$159,810,700\times\frac{195,689,000}{510,881,000}=61,214,247$ (3)　(1)≦(2)④　　∴　60,394,247	60,394,247
未成年者控除額	甥　G	法定相続人でないため、適用なし。	——

【配　点】 2×25カ所　　合計50点

解答への道

1　相続人及び法定相続人

⑴　相続人（血族相続人）

被相続人甲には第1順位の子及び第2順位の直系尊属がいないため、第3順位の兄弟姉妹が血族相続人となる。この場合において、代襲相続は1度のみであるため、姪孫Hは代襲相続人にならないことに注意する。

なお、妹Eは被相続人甲の半血兄弟姉妹であるため、相続分は全血兄弟姉妹の2分の1である。

⑵　法定相続人（血族相続人）

法定相続人は、放棄があった場合にはその放棄がなかったものとした場合の相続人であるため、本問では第2順位の母丁となる。

2　財産評価

⑴　宅地H及び建物I

被相続人甲が居住の用に供していたため、自用地及び自用家屋として評価する。

なお、間口が狭小、かつ、奥行が長大な宅地に該当する場合には、間口狭小補正率と奥行長大補正率を連乗した後に円未満の端数を切り捨てる。

⑵　宅地J及び建物K

被相続人甲が建物を賃貸借契約により貸し付けているため、貸家建付地及び貸家として評価する。

⑶　宅地M

被相続人が相当の地代でO社に貸し付けているため、自用地価額に100分の80を乗じて評価する。

⑷　P社の株式（上場株式）

課税時期が基準日の翌日以後であるため、落ちの株価により評価する。なお、落ちの株価で評価する場合には、併せて株式に関する権利（本問では「株式無償交付期待権」）も評価すること。

⑸　貸付金債権

個人間の貸借であるため、源泉徴収税額は考慮しない。

⑹　定期預金

既経過利子の計算上、満期日の約定利率は用いない。

⑺　普通預金

既経過利子の額が少額と認められるため、預入高で評価する。

3　小規模宅地等の特例

(1)　宅地H

被相続人の居住の用に供されていた宅地を配偶者が取得しているため、無条件で特定居住用宅地等に該当する。

(2)　宅地J

相続開始前3年より前から被相続人の不動産貸付業の用に供されていた宅地を事業承継親族が取得し、かつ、継続要件を満たしているため、貸付事業用宅地等に該当する。

(3)　宅地L

空地となっているため、特例対象宅地等には該当しない。

(4)　宅地M

次の要件を満たすため、特定同族会社事業用宅地等に該当する。

①　被相続人又は同一生計親族が法人に対し賃貸借契約により宅地等又は家屋を貸し付けていること

②　法人が同族会社（被相続人及びその同族関係者の直前の持株割合が50%超）に該当していること

③　法人が不動産貸付業以外の事業を営んでいること

④　宅地の取得者が被相続人の親族であること

⑤　宅地の取得者が申告期限において法人の役員であること

⑥　宅地の取得者が申告期限まで宅地を所有していること

⑦　法人が申告期限において事業を営んでいること

4　みなし財産

(1)　生命保険金

年金で利息を付して支給される契約であるため、一時金の金額により評価する。

(2)　定期金に関する権利

給付事由未発生であるため、契約者が定期金に関する権利を取得したものとみなされて相続税が課税される。

(3)　退職手当金等（弔慰金の判定）

被相続人甲の死亡が業務上の死亡ではないため、普通給与の6月分までは課税されない。

5　債務控除

(1)　債　務

保証債務は原則として控除できない。

なお、主たる債務者が弁済不能で保証債務者がその債務を履行しなければならず、かつ、主たる債務者に求償しても返還を受ける見込みがない場合には控除できるが、本問では主たる債務者である友人Zの資産状態は良好であるため、控除はできない。

(2)　葬式費用

遺体解剖費用及び香典返しの費用は控除できない。

6　税額控除等

(1)　相続税額の２割加算

配偶者乙及び母丁以外の者は配偶者でもなく、一親等の血族でもないため加算対象者となる。

(2)　贈与税額控除（暦年課税分）

母丁が令和７年２月３日に受けた贈与は、被相続人甲からの相続開始年分の暦年課税贈与に該当し、生前贈与加算されるため、贈与税は非課税となる。

(3)　未成年者控除

甥Ｇは法定相続人でないため、未成年者控除の適用はない。

MEMO

問題２	解　答

※　□で囲まれた数字は配点を示す。

Ⅰ　各相続人等の相続税の課税価格の計算（42点）

1　遺贈財産価額の計算（18点）　　（単位：円）

取得者	財産の種類	計算過程	課税価格に算入される金額
配偶者乙	F市宅地	(250,000×1.00＋200,000×1.00×0.05)×300㎡×(1－60%×30%)＝63,960,000 [2]	
		63,960,000－3,876,363＝60,083,637	60,083,637
配偶者乙	F市家屋	20,000,000×1.0×(1－30%)＝14,000,000	[2] 14,000,000
配偶者乙	G市宅地	150,000×1.00×270㎡×$\frac{1}{2}$＝20,250,000	
		20,250,000－16,200,000＊＝4,050,000	4,050,000
配偶者乙	H社株式	① 400　② 415　③ 420　④ 418	
		∴　400×10,000株＝4,000,000	[2] 4,000,000
配偶者乙	車両運搬具	2,000,000－1,112,600＝887,400	[2] 887,400
子B	I市宅地	20,000,000×1.5＝30,000,000	30,000,000
子B	I市家屋	15,999,000×1.0－1,000,000＝14,999,000	[2] 14,999,000
子B	J社株式	(1) 評価方式の判定 ① $\frac{90個(B)+10個(E)}{300個}$＝33.3…%≧30% ② $\frac{90個(B)}{300個}$＝30%≧５% ∴　子Bは同族株主に該当し、かつ、取得後の議決権割合が５%以上であるため、原則的評価方式。 (2) 類似業種比準価額 ①　１株当たりの資本金等の額 15,000,000÷30,000株＝500 ②　１株当たりの資本金等の額を50円とした場合の発行済株式数 15,000,000÷50＝300,000株 ③　Ⓑの金額 $\frac{(2,000,000+1,000,000)\div 2}{300,000株}$＝5.0	

		④　Ⓒの金額 $\frac{9,000,000^{※}}{300,000\text{株}}=30$ ※　9,000,000＜(9,000,000＋11,000,000)÷2 ＝10,000,000 ∴　9,000,000 ⑤　Ⓓの金額 $\frac{66,000,000}{300,000\text{株}}=220$ ⑥　類似業種比準価額 $310^{※1}\times\frac{\frac{5.0}{4.0}(1.25)+\frac{30}{28}(1.07)^{※2}+\frac{220}{226}(0.97)^{※2}}{3}$ $(1.09)^{※2}\times0.6=202.7$（10銭未満切捨） $202.7\times\frac{500}{50}=2,027$ ※1　321、319、311、312、310のうち最小 ∴　310 ※2　小数点以下第２位未満切捨 (3)　原則的評価方式による評価額 $2,027^{※}\times0.75+2,210\times\frac{80}{100}\times(1-0.75)$ ＝1,962（円未満切捨） ※　2,027＜2,210　　∴　2,027 1,962×9,000株＝17,658,000	2	17,658,000
養　子　C	G 市 宅 地	20,250,000－16,200,000*＝4,050,000		4,050,000
養　子　C	G 市 家 屋	$30,000,000\times1.0\times\frac{1}{2}=15,000,000$		15,000,000
養　子　E	K 市 山 林	500,000×3.0＝1,500,000		1,500,000
養　子　E	K 市 立 木	525,000×1.0×1.2×0.8×2.2ha＝1,108,800 $1,108,800\times\frac{85}{100}=942,480$	2	942,480
養　子　E	J 社 株 式	(1)　評価方式の判定 $\frac{10\text{個(E)}+90\text{個(B)}}{300\text{個}}=33.3\cdots\%\geqq30\%\geqq25\%$ ∴　養子Ｅは同族株主に該当し、かつ、中心的な同族株主に該当するため、原則的評価方式。 (2)　評価額 1,962×1,000株＝1,962,000	2	1,962,000

＊　小規模宅地等の特例（対象資産及び減額割合 2）

(1) 特例対象宅地等

乙（貸付事業用宅地等）$63,960,000 \div 300㎡ \times \frac{50}{100} \times 200$

$= 21,320,000$

乙（特定居住用宅地等）$20,250,000 \div \overset{*}{135}㎡ \times \frac{80}{100} \times 330$

$= 39,600,000$

C（特定居住用宅地等）$20,250,000 \div \overset{*}{135}㎡ \times \frac{80}{100} \times 330$

$= 39,600,000$

＊　$270㎡ \times \frac{1}{2} = 135㎡$

(2) 調整計算による減額金額

C（特定居住用宅地等）から135㎡

$(\frac{135㎡}{330㎡} = 40.909\cdots\%)$、

乙（特定居住用宅地等）から135㎡

$(\frac{135㎡}{330㎡} = 40.909\cdots\%)$及び

乙（貸付事業用宅地等）から

$200㎡ \times (1 - \frac{135㎡}{330㎡} \times 2)$

$= 36.36363636㎡$を選択する。

C　$20,250,000 \times \frac{135㎡}{135㎡} \times \frac{80}{100} = 16,200,000$

乙　$20,250,000 \times \frac{135㎡}{135㎡} \times \frac{80}{100} = 16,200,000$

乙　$63,960,000 \times \frac{36.36363636㎡}{300㎡}$(円未満切捨)

$\times \frac{50}{100} = 3,876,363$(円未満切捨)

$16,200,000 + 16,200,000 + 3,876,363$

$= 36,276,363$

(3) 併用による減額金額

C（特定居住用宅地等）から135㎡及び

乙（特定居住用宅地等）から135㎡を選択する。

		C　$20,250,000 \times \frac{135\text{㎡}}{135\text{㎡}} \times \frac{80}{100} = 16,200,000$ 乙　$20,250,000 \times \frac{135\text{㎡}}{135\text{㎡}} \times \frac{80}{100} = 16,200,000$ 16,200,000＋16,200,000＝32,400,000 (4)　(2)＞(3)　　∴　(2)	

2　相続又は遺贈によるみなし取得財産価額の計算（6点）　　　　（単位：円）

財産の種類	取得者	計算過程	課税価格に算入される金額
その他の利益の享受	養子E		② 1,000,000
退職手当金等	配偶者乙 養子C 養子D 養子E	$30,000,000 \times \frac{1}{4} = 7,500,000$	② 7,500,000 7,500,000 7,500,000 7,500,000
同上の非課税金額		(1)　5,000,000×5人＝25,000,000 (2)　7,500,000＋7,500,000＋7,500,000＋7,500,000 ＝30,000,000 (3)　(1)＜(2)　　∴	
	配偶者乙 養子C 養子D 養子E	$25,000,000 \times \frac{7,500,000}{30,000,000} = 6,250,000$	△6,250,000 △6,250,000 △6,250,000 △6,250,000
生命保険金等	配偶者乙	(1)　1,000,000×13.865※＝13,865,000 ※　76歳10月 → 76歳（年未満切捨） 76歳の余命年数＝15.40年 → 15年（年未満切捨） ∴　13.865 (2)　13,000,000 (3)　(1)＞(2)　∴　13,865,000	② 13,865,000
	養子D	$(52,000,000 + 270,000) \times \frac{1}{2} = 26,135,000$	26,135,000
同上の非課税金額		(1)　5,000,000×5人＝25,000,000 (2)　13,865,000＋26,135,000＝40,000,000 (3)　(1)＜(2)　∴	
	配偶者乙	$25,000,000 \times \frac{13,865,000}{40,000,000} = 8,665,625$	△8,665,625
	養子D	$25,000,000 \times \frac{26,135,000}{40,000,000} = 16,334,375$	△16,334,375
生命保険契約に関する権利	配偶者乙	$4,283,000 \times \frac{1}{2} = 2,141,500$	2,141,500

3　債務控除額の計算　（単位：円）

債務及び葬式費用	計　算　過　程	金　額
債　務	2,500,000＋3,000,000＋1,200,000＋300,000＝7,000,000	7,000,000
葬式費用	1,900,000＋1,000,000＋300,000＝3,200,000	3,200,000
合　計		10,200,000

4　相続税の課税価格に加算する贈与財産（暦年贈与財産）価額の計算　（単位：円）

贈与年分	受贈者	計　算　過　程	加算される贈与財産価額
令和2年	配偶者乙	相続開始前3年以内の贈与に該当しないため、生前贈与加算しない。	―――
令和3年	養子E	相続開始前3年以内の贈与に該当しないため、生前贈与加算しない。	―――
令和4年	配偶者乙	16,000,000－16,000,000※＝0 ※　16,000,000＜20,000,000　∴　16,000,000	0
令和5年	養子D	39,500,000－30,000,000※＝9,500,000 ※　39,500,000＞30,000,000　∴　30,000,000	9,500,000
令和7年	養子C		9,750,000

5　未分割財産及び未分割債務の相続分に応ずる価額等の計算（14点）　（単位：円）

財産の種類	計　算　過　程	金　額
M市宅地	(300,000×1.00＋250,000×1.00×0.04)×182㎡×(1－70%×30%)＝44,571,800	2　44,571,800
M市家屋	12,000,000×1.0×(1－30%)＝8,400,000	8,400,000
N社株式	(1) 評価方式の判定 $\frac{5,000個}{5,000個}$＝100%＞50%≧5% ∴　議決権5,000個全てをどの相続人が取得した場合においても、原則的評価方式となるため、原則的評価方式により評価する。 (2) 評価額 2,512※×5,000株＝12,560,000 ※　2,512＜2,650　∴　2,512	2　12,560,000
賞与		600,000
退職手当金等		2　15,000,000
生命保険契約に関する権利		2,000,000
傷害保険金		1,200,000
合　計		84,331,800

計　　算　　過　　程	課税価格に算入される金額
(1) 未分割遺産の価額	
84,331,800	
(2) 特別受益額（養子Dの信託受益権を持戻していない [2]）	
（配偶者乙のG市宅地・G市家屋を持戻していない [2]）	
配偶者乙　63,960,000＋14,000,000＋4,000,000＋887,400＋35,250,000 ＝118,097,400	
養子C　20,250,000＋15,000,000＋9,750,000 ＝ 45,000,000	
養子E　1,500,000＋1,108,800 [2]＋1,962,000＋3,500,000 [2] ＝ 8,070,800	
合　計　171,168,200	
(3) みなし相続財産の価額	
(1)＋(2)＝255,500,000	
(4) 各相続人に対する具体的相続分	
配偶者乙　$255,500,000\times\frac{1}{2}-118,097,400$ ＝ 9,652,600	9,652,600
養子C　$255,500,000\times\left(\frac{1}{2}\times\frac{1}{4}+\frac{1}{2}\times\frac{1}{4}\times\frac{1}{2}\right)-45,000,000$ ＝ 2,906,250	2,906,250
養子D　$255,500,000\times\left(\frac{1}{2}\times\frac{1}{4}+\frac{1}{2}\times\frac{1}{4}\times\frac{1}{2}\right)$ ＝47,906,250	47,906,250
養子E　$255,500,000\times\frac{1}{2}\times\frac{1}{4}-8,070,800$ ＝23,866,700	23,866,700
(5) 未分割債務の計算	
配偶者乙　$10,200,000\times\frac{1}{2}$ ＝5,100,000	△5,100,000
養子C　$10,200,000\times\left(\frac{1}{2}\times\frac{1}{4}+\frac{1}{2}\times\frac{1}{4}\times\frac{1}{2}\right)$ ＝1,912,500	△1,912,500
養子D　$10,200,000\times\left(\frac{1}{2}\times\frac{1}{4}+\frac{1}{2}\times\frac{1}{4}\times\frac{1}{2}\right)$ ＝1,912,500	△1,912,500
養子E　$10,200,000\times\frac{1}{2}\times\frac{1}{4}$ ＝1,275,000	△1,275,000

6　各人の課税価格の計算（4点）					（単位：円）
区分＼相続人等	配偶者乙	子B	養子C	養子E	養子D
遺贈財産価額	83,021,037	62,657,000	19,050,000	4,404,480	
未分割財産価額	9,652,600		2,906,250	23,866,700	47,906,250
みなし財産	8,590,875		1,250,000	2,250,000	11,050,625
未分割債務	[2]{△5,100,000		△1,912,500	△1,275,000	△1,912,500}
生前贈与加算額	0		9,750,000	――	[2] 9,500,000
課税価格（千円未満切捨）	96,164,000	62,657,000	31,043,000	29,246,000	66,544,000

Ⅱ　相続税の総額の計算（2点）

課税価格の合計額		遺産に係る基礎控除額	課税遺産額
千円 285,654		千円 30,000＋6,000×5人 ＝60,000	千円 225,654
法定相続人	法定相続分	法定相続分に応ずる取得金額	相続税の総額の基となる額
配偶者乙	$\frac{1}{2}$	千円 112,827	円 28,130,800
子　B	$\frac{1}{2}\times\frac{1}{5}=\frac{1}{10}$	22,565	2,884,750
養子C	$\frac{1}{2}\times\frac{1}{5}+\frac{1}{2}\times\frac{1}{5}\times\frac{1}{2}=\frac{3}{20}$	33,848	4,769,600
養子D	$\frac{1}{2}\times\frac{1}{5}+\frac{1}{2}\times\frac{1}{5}\times\frac{1}{2}=\frac{3}{20}$	33,848	4,769,600
養子E	$\frac{1}{2}\times\frac{1}{5}=\frac{1}{10}$	22,565	2,884,750
合計　5人	1		（100円未満切捨） 43,439,500　円

（注）　遺産に係る基礎控除額、法定相続人、法定相続分及び法定相続人の数ができて [2]

Ⅲ　各相続人等の納付すべき相続税額の計算（６点）

1　各人別の相続税額の計算（２点）　　　　　　　　　　　　　　　　　　　　　　（単位：円）

区　分＼相続人等		配偶者乙	子B	養子C	養子E	養子D
算　出　税　額		14,623,691	9,528,271	4,720,719	4,447,449	10,119,368
加算又は減算	相続税額の加算額				889,489	
	贈与税額控除額（暦年課税分）			―――		△1,620,000
	配偶者に対する税額軽減額	△13,931,315				
	障害者控除額					△6,100,000
納付税額（百円未満切捨）		[2] {692,300	9,528,200	4,720,700	5,336,900	2,399,300}

2　税額控除等の計算（４点）　　　　　　　　　　　　　　　　　　　　　　　　　（単位：円）

控除等の項目	対象者	計算過程	金額
相続税額の加算額（対象者[2]）	養子E	$4,447,449\times\frac{20}{100}=889,489$	889,489
贈与税額控除額（暦年課税分）	養子C	相続開始年分の被相続人からの贈与のため、贈与税は非課税	―――
	養子D	(9,500,000－1,100,000)×30%－900,000＝1,620,000	1,620,000
配偶者に対する税額軽減額（計算パターン[2]）	配偶者乙	(1)　14,623,691 (2)①　$285,654,000\times\frac{1}{2}=142,827,000<160,000,000$ ∴　160,000,000 ②　9,652,600＞5,100,000 ∴　83,021,037＋8,590,875＝91,611,000（千円未満切捨） ③　①＞②　∴　91,611,000 ④　$43,439,500\times\frac{91,611,000}{285,654,000}=13,931,315$ (3)　(1)＞(2)④　∴　13,931,315	13,931,315
障害者控除額	養子D	100,000×(85歳－24歳)＝6,100,000	6,100,000

【配　点】　[2]×25カ所　　合計50点

解答への道

1　親族図及び相続分

養子Ｃ及び養子Ｄは、一親等の血族としての地位と代襲相続人としての地位の双方を有しているため二重身分を有する者となる。また、両者のいずれもがみなし実子に該当するため、算入制限を受ける養子は、養子Ｅのみとなり、法定相続人の数を数える上で算入制限は考慮不要となる。

2　財産評価

(1)　Ｆ市所在の宅地及び家屋

被相続人甲が家屋を賃貸借契約により貸し付けていたため、貸家建付地及び貸家として評価する。

(2)　Ｇ市所在の宅地及び家屋

被相続人甲が居住の用に供していたため、自用地及び自用家屋として評価する。

(3)　Ｈ社株式

課税時期が株式無償交付の基準日以前にあるため、「含み」の株価で評価する。

(4)　車両運搬具

一般動産に該当するが、売買実例価額及び精通者意見価格等が明らかでないため、課税時期における同種同規格の新品の小売価額から、製造の時から課税時期までの期間の定率法による償却費の額の合計額又は減価の額を控除した金額で評価する。

(5)　Ｉ市所在の宅地および家屋

被相続人甲の別荘の用に供されていたため、自用地及び自用家屋として評価する。

(6)　Ｊ社株式（取引相場のない株式）

①　一般の評価会社の中会社であるため、その原則的評価方法は次のとおりである。

（原則）類似業種比準価額 （選択）１株当たりの純資産価額	低い方×Ｌ＋１株当たりの純資産価額×（１－Ｌ）

なお、子Ｂの属するグループの議決権割合は50％以下であるため、１株当たりの純資産価額に100分の80を乗じる（円未満切捨）。

②　類似業種比準価額

次の算式により計算した金額による。

$$A \times \left(\frac{\frac{Ⓑ}{B} + \frac{Ⓒ}{C} + \frac{Ⓓ}{D}}{3} \right) \times \left\{ \begin{array}{l} 大会社0.7 \\ 中会社0.6 \\ 小会社0.5 \end{array} \right\} \times \frac{1株当たりの資本金等の額}{50円}$$

（注）各符号の意味は次のとおりである。

Ａ＝類似業種の株価

次に掲げる金額のうち最も低い金額

① 課税時期の属する月の類似業種の株価

② 課税時期の属する月の前月の類似業種の株価

③ 課税時期の属する月の前々月の類似業種の株価

④ 類似業種の前年平均株価

⑤ 課税時期の属する月以前２年間の平均

Ｂ＝課税時期の属する年の類似業種の１株当たりの配当金額

Ｃ＝課税時期の属する年の類似業種の１株当たりの年利益金額

Ｄ＝課税時期の属する年の類似業種の１株当たりの純資産価額（帳簿価額によって計算した金額）

Ⓑ＝評価会社の１株当たりの配当金額

Ⓒ＝評価会社の１株当たりの利益金額

Ⓓ＝評価会社の１株当たりの純資産価額(帳簿価額によって計算した金額)

なお、評価会社の各比準要素（ⒷⒸⒹ）は、次の算式により計算する。

Ⓑ＝評価会社の１株当たりの配当金額

$\dfrac{\text{直前期末以前２年間における配当金額の合計額(無配は０)} \times \dfrac{1}{2}}{\text{直前期末における発行済株式数（１株当たりの資本金等の額を50円とした場合)}}$ （10銭未満切捨）

※ 直前期末以前２年間における配当金額からは、特別配当、記念配当等で臨時のものを除く。

Ⓒ＝評価会社の１株当たりの利益金額

$\dfrac{\text{直前期末以前１年間における利益金額※１※２}}{\text{直前期末における発行済株式数（１株当たりの資本金等の額を50円とした場合)}}$ （円未満切捨）

※１ 直前期末以前２年間における利益金額の合計額÷２とすることができる。

※２ その金額が負数である場合は０とする。

Ⓓ＝評価会社の１株当たりの純資産価額（帳簿価額によって計算した金額）

$\dfrac{\text{直前期末における資本金等の額及び利益積立金額の合計額※}}{\text{直前期末における発行済株式数（１株当たりの資本金等の額を50円とした場合)}}$ （円未満切捨）

※ その金額が負数である場合は０とする。

(7) Ｋ市所在の山林及び立木

山林は倍率方式により評価し、立木については以下のとおり計算する。

標準価額×地味級割合×地利級割合×立木度割合×地積

立木の評価の際には山林の地積を乗じ忘れないこと。また、取得した養子Ｅは相続人に該当するため立木の評価減として100分の85を乗じること。

(8) 未分割財産

① Ｍ市所在の宅地及び家屋

被相続人甲が家屋を賃貸借契約により貸し付けていたため、貸家建付地及び貸家として評価する。なお、申告期限までに取得者が決まっていないため、小規模宅地等の特例の適用はない。

② Ｎ社株式

一般の評価会社の大会社に該当するため、類似業種比準価額と１株当たり純資産価額のいずれか低い金額を評価額とする。なお、本問のように申告期限までに取得者が決まっていない取引相場のない株式等の評価方式の判定は、各共同相続人又は包括受遺者の１人が、株式等のすべてを取得したものとした場合の議決権割合による。

③ 以下の財産は被相続人の本来の相続財産に該当する。本問では、取得者が未確定のため未分割財産として集計する必要がある。

イ 被相続人の生前退職に伴う退職手当金で生前に支給額が確定したもの

ロ 被相続人が受けるべきであった賞与で被相続人の死亡後に支給額が確定したもの

ハ 契約者が被相続人である生命保険契約に関する権利

ニ 被相続人に対する傷害保険金で死亡の直接の原因となっていないもの

3 小規模宅地等の特例

(1) Ｆ市所在の宅地

被相続人甲が相続開始前３年よりも前から不動産貸付業等の用に供していた宅地等を、事業承継親族である配偶者乙が取得し、申告期限まで保有し、かつ、事業継続をしているため、貸付事業用宅地等に該当する。

(2) Ｇ市所在の宅地

被相続人甲が居住の用に供していた宅地等を、配偶者乙及び同居親族である養子Ｃが取得し、配偶者乙が取得した部分については無条件で、養子Ｃが取得した部分についてはＣが申告期限における継続要件を満たすため、いずれも特定居住用宅地等に該当する。

4 特別受益

(1) 小規模宅地等の特例や立木の評価減については、それぞれ適用前の金額で持ち戻す。

(2) 令和元年７月１日以降に被相続人の配偶者が贈与又は遺贈により取得した居住用不動産は、持ち戻し免除となる。

(3) 信託受益権は、みなし贈与財産に該当するため持ち戻さない。

(4) 贈与財産は、相続開始時の価額で持ち戻す。

5　みなし財産

(1) 退職手当金等

被相続人甲の死亡退職に伴い支払われる退職手当金等で、死亡後３年以内に支給額が確定したものはみなし財産に該当する。なお、みなし財産の取得者が未確定の場合には、相続人が均等に取得したものとする。

(2) 生命保険金等

保険金と共に前納保険料を取得している場合には、取得保険金額にその前納保険料の金額を含めてから、保険料負担割合を乗ずることとなる。

6　債務控除

債務及び葬式費用の負担者が未確定の場合には、各相続人が相続分で負担したものとして債務控除額を計算する。葬式費用は、配偶者乙が立替払いをしているが、立替払いは負担者未確定に該当する。

7　生前贈与

養子Ｄが取得した信託受益権については、特定障害者扶養信託契約の贈与税の非課税の規定の適用を受けるため、非課税金額を控除した後の金額が生前贈与加算額となる。本問では、養子Ｄは特定障害者のうち特別障害者以外の障害者に該当するため、取得した信託受益権のうち3,000万円までが非課税となる。

8　税額控除等

(1) 相続税額の加算

いわゆる孫養子である養子Ｅは、代襲相続人でないため加算の対象となる。

(2) 配偶者に対する相続税額の軽減

未分割財産がある場合には、配偶者の税額軽減額の計算上、配偶者の課税価格相当額については、未分割財産は含めない。また、配偶者が負担した債務の金額はまず未分割財産の価額から控除する。本問では、未分割財産の価額が未分割債務の金額よりも大きいため、配偶者の課税価格相当額は、未分割財産と未分割債務以外の財産の価額を集計した金額となる。

(3) 障害者控除

養子Ｄは、法定相続人であるため障害者控除の適用がある。

問題 3　　解答

※　□で囲まれた数字は配点を示す。

1　相続人等の相続税の課税価格の計算（32点）

(1) 相続又は遺贈により取得した個々の財産（次の(2)及び(5)に該当するものを除く。）の価額の計算（20点）（単位：円）

財産の種類	計算過程	取得者	課税価格に算入される金額
宅地 F	(300,000×1.00＋320,000×0.92×0.03)×$\overset{*}{0.94}$ ×$\overset{*}{0.94}$(円未満切捨)×115㎡＝31,381,545 *　$4 \leqq \frac{23\text{m}}{5\text{m}} = 4.6 < 5$　∴　0.94	配偶者乙	[2]　31,381,545
建物 G	20,000,000×1.0＝20,000,000	配偶者乙	20,000,000
宅地 H	52,800,000×$\frac{300\text{m}^2}{330\text{m}^2}$×1.5＝72,000,000	配偶者乙	[2]　72,000,000
建物 I	25,000,000×1.0＝25,000,000	配偶者乙	25,000,000
宅地 J	350,000×1.00×$\overset{*}{0.96}$×280㎡＝94,080,000 *　$\frac{2\text{m}\times 20\text{m}}{280\text{m}^2}$＝0.14…≧0.10　∴　0.96	子　A	[2]　94,080,000
建物 K	30,000,000×1.0＝30,000,000	子　A	30,000,000
宅地 L	(210,000×1.00＋200,000×1.00×0.03＋190,000 ×1.00×0.02)×345㎡×(1－70%×30% ×$\frac{30\text{m}^2\times 8}{30\text{m}^2\times 8}$)＝59,906,490	配偶者乙	[2]　59,906,490
建物 M	25,000,000×1.0×(1－30%×$\frac{30\text{m}^2\times 8}{30\text{m}^2\times 8}$) ＝17,500,000	配偶者乙	17,500,000
N社株式	①　$\frac{1,515+1,517}{2}$＝1,516　②　1,518 ③　1,521　④　1,524 ∴　1,516×10,000株＝15,160,000	孫　D	[2]　15,160,000
O社株式	①　$\frac{796+794}{2}$＝795　②　793 ③　$\frac{943+50\times 0.2}{1+0.2}$＝794(円未満切捨) ④　$\frac{946+50\times 0.2}{1+0.2}$＝796(円未満切捨) ∴　793×20,000株＝15,860,000	養子　C	[2]　15,860,000
株式の割当てを受ける権利	(793－50)×20,000株×0.2＝2,972,000	養子　C	[2]　2,972,000

定期預金	$30,000,000+30,000,000\times0.375\%\times\frac{292日}{365日}$ ×(1－20.315%)＊＝30,071,717 ＊ 源泉徴収税額円未満切捨	孫　E	② 30,071,717
P社株式	(1) 評価方式の判定 $\frac{300個(A)+150個(A')}{1,000個}=45\%\geqq30\%$ $\frac{300個(A)}{1,000個}=30\%\geqq5\%$ ∴ Aは同族株主に該当し、かつ、取得後の議決権割合が５％以上であるため、原則的評価方式。 $\frac{250個(X)}{1,000個}=25\%<30\%$ ∴ Xは同族株主以外の株主に該当するため、特例的評価方式。 (2) 原則的評価方式による評価額 $2,990^{*}\times0.60+2,990\times\frac{80}{100}\times(1-0.60)$ ＝2,750(円未満切捨) ＊ 3,054＞2,990　∴ 2,990 (3) 特例的評価方式による評価額 400＜2,750　∴ 400 (4) 評価額		
	2,750×15,000株＝41,250,000	子　A	② 41,250,000
	400×5,000株＝2,000,000	友人X	② 2,000,000
その他の財産	15,000,000－1,600,000＝13,400,000	配偶者乙	13,400,000

(2) 相続又は遺贈によるみなし取得財産の価額の計算（６点）　(単位：円)

財産の種類	計算過程	取得者	課税価格に算入される金額
生命保険金	$37,500,000\times\frac{2}{3}=25,000,000$	孫　D	② 25,000,000
	$50,000,000\times\frac{1}{2}=25,000,000$	孫　E	25,000,000
		養子C	15,000,000
	被相続人甲が負担した部分がないため相続税が課税される部分はない。	妻　A'	② －

非課税金額	(1) 5,000,000×5＝25,000,000 (2) 25,000,000＋15,000,000＝40,000,000 (3) (1)＜(2) ∴ $25,000,000\times\begin{cases}\dfrac{25,000,000}{40,000,000}=15,625,000\\ \dfrac{15,000,000}{40,000,000}=9,375,000\end{cases}$	孫 E 養子 C	△15,625,000 △ 9,375,000
	孫Dは相続人でないため適用なし。		
生命保険契約に関する権利		配偶者乙	3,000,000
	掛捨保険契約のため適用しない。	妻 A'	2 —
退職手当金等		配偶者乙	50,000,000
非課税金額	5,000,000×5＝25,000,000＜50,000,000 ∴ 25,000,000	配偶者乙	△25,000,000

(3) 小規模宅地等の特例の計算（２点） (単位：円)

① 特例対象宅地等

乙（特定居住用宅地等） $31,381,545\div115㎡\times\dfrac{80}{100}\times330=72,041,112$

A（特定事業用宅地等） $94,080,000\div280㎡\times\dfrac{80}{100}\times400=107,520,000$

乙（貸付事業用宅地等） $59,906,490\div345㎡\times\dfrac{50}{100}\times200=17,364,200$

② 調整計算による減額金額

A（特定事業用宅地等）から280㎡ $\left[\dfrac{280㎡}{400㎡}=70\%\right]$ 及び

乙（特定居住用宅地等）から99㎡｛330㎡×（１－70%)｝を選択する。

A $94,080,000\times\dfrac{280㎡}{280㎡}\times\dfrac{80}{100}=75,264,000$

乙 $31,381,545\times\dfrac{99㎡}{115㎡}\times\dfrac{80}{100}=21,612,333$(円未満切捨)

75,264,000＋21,612,333＝96,876,333

③ 併用による減額金額

A $94,080,000\times\dfrac{280㎡}{280㎡}\times\dfrac{80}{100}=75,264,000$

乙 $31,381,545\times\dfrac{115㎡}{115㎡}\times\dfrac{80}{100}=25,105,236$

75,264,000＋25,105,236＝100,369,236

④ ②＜③ ∴ ③

特例適用対象財産	取得者	課税価格から減額される金額
宅地J 宅地F	子 A 配偶者乙	2 ｛75,264,000 25,105,236

(4) 課税価格から控除すべき債務及び葬式費用　(単位：円)

債務及び葬式費用	負担者	計算過程	金額
債務	配偶者乙	1,500,000＋150,000＋(500,000－200,000)＝1,950,000	1,950,000
	子　A	3,008,000＋2,500,000＝5,508,000 財産目録調整費用及び非課税財産に係る未払い金は控除できない。	5,508,000
葬式費用		1,400,000＋160,000＋300,000＝1,860,000 香典返し費用及び永代供養料は控除できない。	
	配偶者乙	1,860,000×$\frac{1}{3}$＝620,000	620,000
	子　A	〃	620,000
	養子　C	〃	620,000

(5) 課税価格に加算する贈与財産（暦年課税分）価額の計算　(単位：円)

贈与年分	受贈者	計算過程	加算される贈与財産価額
令和4年	養子　C		10,000,000
令和6年	孫　D		8,000,000

(6) 相続人等の課税価格の計算（4点）　(単位：円)

区分＼相続人等	配偶者乙	子　A	孫　D	養子C	孫　E	友人X
相続又は遺贈による取得財産	214,082,799	90,066,000	15,160,000	18,832,000	30,071,717	2,000,000
みなし取得財産	2 {28,000,000		25,000,000	5,625,000	9,375,000 }	
債務及び葬式費用	2 {△2,570,000	△6,128,000		△620,000 }		
生前贈与加算（暦年課税分）			8,000,000	10,000,000		
課税価格（1,000円未満切捨）	239,512,000	83,938,000	48,160,000	33,837,000	39,446,000	2,000,000

2　納付すべき相続税額の計算（18点）

(1) 相続税の総額の計算（２点）

課税価格の合計額		遺産に係る基礎控除額	課税遺産額
千円 446,893		30,000＋6,000×５人　千円 ＝60,000	千円 386,893
法定相続人	法定相続分	法定相続分に応ずる取得金額	相続税の総額の基となる税額
		千円	円
配偶者乙	$\frac{1}{2}$	193,446	60,378,400
子　A	$\frac{1}{2}\times\frac{1}{3}=\frac{1}{6}$	64,482	12,344,600
妻　A' 養子C	$\frac{1}{2}\times\frac{1}{3}=\frac{1}{6}$	64,482	12,344,600
孫　D	$\frac{1}{2}\times\frac{1}{3}\times\frac{1}{2}=\frac{1}{12}$	32,241	4,448,200
孫　E	$\frac{1}{2}\times\frac{1}{3}\times\frac{1}{2}=\frac{1}{12}$	32,241	4,448,200
合計　５人	1		(100円未満切捨) 93,964,000　円

(注)　法定相続人、法定相続分、法定相続人の数及び基礎控除額すべてできて2

(2) 相続人等の納付すべき相続税額の計算（８点）　(単位：円)

区分 ＼ 相続人等		配偶者乙	子　A	孫　D	養子C	孫　E	友人X
算出税額		50,359,942	17,648,856	10,126,151	7,114,588	8,293,940	420,521
加算又は減算	相続税額の２割加算			2,025,230	1,422,917		84,104
	贈与税額控除額（暦年課税分）			2△1,170,000	2△2,440,000		
	配偶者の税額軽減額	△46,982,000				2	
	未成年者控除額					△　100,000	
	障害者控除額					――	
	相次相続控除額	△　670,130	△　234,849	――	△　66,693	△　110,367	――
納付税額（100円未満切捨）		2{ 2,707,800	17,414,000	10,981,300	6,030,800	8,083,500	504,600}

(注)　相続税額の２割加算及び控除金額の計算過程は、次の(3)に記載する。

(3) 相続税額の２割加算及び控除金額の計算（８点）　　　　　　　　　　　　（単位：円）

加算及び控除の項目	対象者	計　算　過　程	金　額
相続税額の２割加算 （対象者②）	孫　D	$10,126,151 \times \frac{20}{100} = 2,025,230$	2,025,230
	養子 C	$7,114,588 \times \frac{20}{100} = 1,422,917$	1,422,917
	友人 X	$420,521 \times \frac{20}{100} = 84,104$	84,104
贈与税額控除額 （暦年課税分）	養子 C	(1) (5,000,000＋10,000,000－1,100,000)×40% －1,900,000＝3,660,000 (2) $3,660,000 \times \frac{10,000,000}{5,000,000+10,000,000} = 2,440,000$	2,440,000
	孫　D	(8,000,000－1,100,000)×30%－900,000＝1,170,000	1,170,000
配偶者の税額軽減額 （計算パターン②）	配偶者乙	(1) 50,359,942 (2)① $446,893,000 \times \frac{1}{2} = 223,446,500$ ≧160,000,000 ∴ 223,446,500 ② 239,512,000（千円未満切捨） ③ ①＜② ∴ 223,446,500 ④ $93,964,000 \times \frac{223,446,500}{446,893,000} = 46,982,000$ (3) (1)＞(2)④ ∴ 46,982,000	46,982,000
未成年者控除額	孫　E	100,000×(18歳－17歳*)＝100,000 ＊ H19.11.30～R 7.4.30 ∴ 17歳	100,000
障害者控除額	孫　E	非居住無制限納税義務者のため適用なし。	——
相次相続控除額 （対象者及び計算パターン）②		(1) 控除総額 $12,000,000 \times \frac{428,894,516}{289,160,000-12,000,000}$ $\left(> \frac{100}{100} \therefore \frac{100}{100}\right) \times \frac{10-9^{*}}{10} = 1,200,000$ ② ＊H27.7.14～R 7.4.30 ∴ 9年（1年未満切捨）	

		(2) 各相続人の控除額	
	配偶者乙	$1,200,000\times\left\{\begin{array}{l}\dfrac{239,512,799}{428,894,516}=670,130\\ \dfrac{83,938,000}{428,894,516}=234,849\\ \dfrac{23,837,000}{428,894,516}=66,693\\ \dfrac{39,446,717}{428,894,516}=110,367\end{array}\right.$	670,130
	子　A		234,849
	養子C		66,693
	孫　E		110,367
		孫D、友人Xは、相続人でないため適用なし。	

【配　点】　2×25カ所　　合計50点

解答への道

1　法定相続人の数

被相続人甲には養子が２人（妻A'及び孫C）おり、いずれも実子とみなされる者に該当しないため、法定相続人の数の算入制限の適用により妻A'及び孫Cを合わせて１人と数えることになる。

2　財産評価

(1)　宅地F及び建物G

被相続人甲が居住の用に供していたため、自用地及び自用家屋として評価する。

なお、間口が狭小、かつ、奥行が長大な宅地に該当する場合には、間口狭小補正率と奥行長大補正率を連乗した後に円未満の端数を切り捨てる。

(2)　宅地H及び建物I

被相続人甲が別荘の用に供していたため、自用地及び自用家屋として評価する。

なお、宅地Hの評価にあたっては台帳地積ベースの固定資産税評価額を実測地積ベースの固定資産税評価額に修正する。

(3)　宅地J及び建物K

被相続人甲が生前行っていた物品販売業の用に供していたため、自用地及び自用家屋として評価する。

なお、宅地Jの評価にあたってはがけ地補正を行うこと。

(4)　宅地L及び建物M

被相続人甲が建物Mを賃貸借契約により貸し付けているため、貸家建付地及び貸家として評価する。

(5)　N社の株式（上場株式）

金融商品取引所に上場されているため

①　課税時期の最終価格
②　課税時期の属する月の毎日の最終価格の月平均額
③　課税時期の属する月の前月の毎日の最終価格の月平均額
④　課税時期の属する月の前々月の毎日の最終価格の月平均額

のうち、最も小さい金額を選択する。

なお、課税時期の最終価格がない場合は、課税時期の前日以前又は翌日以後のうち、課税時期に最も近い価格を選択する。ただし、その価格が２ある場合には、その平均額（円未満切捨）とする。

(6)　O社の株式（上場株式）

金融商品取引所に上場されているため、N社株式に準じて評価する。

ただし、課税時期がO社の株式割り当ての基準日の翌日以後であるため、「落ち」の価格を用いて評価することとなる。また、前月及び前々月の毎日の最終価格の月平均額については、「含み」の金額のため、「落ち」の価格に修正すること。

(7) Ｐ社の株式（取引相場のない株式）の評価方法の判定

同族株主とは、「株主の１人及びその同族関係者の有する議決権割合の合計数が評価会社の議決権割合の30%以上（又は50%超）である場合におけるその株主及びその同族関係者」をいう。

本問では、株式取得後における子Ａの属するグループの議決権割合が30%以上（45%）であることから、子Ａは同族株主に該当し、かつ、子Ａ単独の議決権割合が５%以上であるため、原則的評価方式により評価する。

また、友人Ｘは、株式取得後における議決権割合が30%未満（25%）であるため、特例的評価方式により評価する。

3　小規模宅地等の特例

(1) 宅地Ｆ

被相続人の居住の用に供されていた宅地等を配偶者乙が取得しているため、無条件で特定居住用宅地等に該当する。

(2) 宅地Ｈ

被相続人の別荘の用に供されていた宅地等であることから、特例対象宅地等には該当しない。

(3) 宅地Ｊ

相続開始前３年より前から被相続人の物品販売業の用に供されていた宅地等を事業承継親族Ａが取得し、かつ、申告期限における継続要件を満たしているため、特定事業用宅地等に該当する。

(4) 宅地Ｌ

相続開始前３年より前から被相続人の不動産貸付業の用に供されていた宅地等を事業承継親族乙が取得し、かつ、申告期限における継続要件を満たしているため、貸付事業用宅地等に該当する。

4　みなし財産

(1) 生命保険金

相続税の課税対象となる生命保険金は、被相続人が保険料を負担した部分に限られるため、妻Ａ’が保険金受取人となっている保険契約については、配偶者乙が保険料の全額を負担していることから、相続税が課される部分はない。

(2) 生命保険契約に関する権利

相続開始の時において、まだ保険事故が未発生である生命保険契約については、契約者が生命保険契約に関する権利を取得したものとみなされて相続税が課税される。ただし、いわゆる掛捨契約については権利課税がされないため、妻Ａ’が契約者となっている保険契約については相続税は課税されない。

5　債務控除

(1) 債務

財産目録調整費用及び非課税財産に係る債務は債務控除の対象とならない。

(2) 葬式費用

香典返し費用及び永代供養料は債務控除の対象とならない。

6　税額控除等

(1) 相続税額の２割加算

養子Ｃはいわゆる孫養子であるが、代襲して相続人となっていないため、２割加算の対象となる。

孫Ｄは代襲して相続権を有しているが、相続を放棄していることから、代襲して相続人となった被相続人の直系卑属に該当せず、２割加算の対象となる。

また友人Ｘは、被相続人の親族ではないため、２割加算の対象となる。

(2) 贈与税額控除（暦年課税分）

養子Ｃは、相続開始日の３年前の応答日を挟んで同一暦年に被相続人甲から贈与を受けている。したがって、令和４年中に贈与により取得した財産の合計額で計算した一暦年分の贈与税額を用いて、税額控除の対象となる令和４年６月８日の贈与に対応する部分の金額を按分計算により求めて贈与税額控除の対象とする。

(3) 障害者控除

孫Ｅは非居住無制限納税義務者であるため、障害者控除の適用はない。

(4) 相次相続控除

相次相続控除の計算においては、主に次の点に注意すること。

①　第２相続に係る被相続人が第１次相続の相続人であること。

②　適用対象者は、第２次相続に係る相続人であること。

③　第１次相続から第２次相続までの期間に相当する年数の端数処理は、１年未満切捨である。

④　計算に当たっては、純資産価額を用いる。なお、純資産価額は債務控除後（生前贈与加算前）の金額であり、千円未満切捨の端数処理はないことに注意すること。

問題 4	解　答

※ □で囲まれた数字は配点を示す。

I　相続人及び受遺者の相続税の課税価格の計算（38点）

1　相続（遺贈）財産価額の計算（28点）			（単位：円）
取得者	財産の種類	計算過程	課税価格に算入される金額
配偶者丙	F市の宅地	(300千円×0.97＋250千円×1.00×0.03)×144㎡ ＝42,984,000 42,984,000－34,387,200※＝8,596,800	[2] 8,596,800
配偶者丙	G市の宅地	(600千円×1.00＋550千円×1.00×0.02)×300㎡ ＝183,300,000 183,300,000－146,640,000※＝36,660,000	[2] 36,660,000
配偶者丙	G市の家屋	28,000,000×1.0＝28,000,000	28,000,000
配偶者丙	H社の株式	(1) $\frac{1,560+1,540}{2}$＝1,550　(2) 1,600 (3) 1,570　(4) $\frac{1,900+100\times0.2}{1+0.2}$＝1,600 ∴ 1,550 1,550×60,000株＝93,000,000	[2] 93,000,000
配偶者丙	株式の割当てを受ける権利	(1,550－100)×60,000株×0.2＝17,400,000	17,400,000
配偶者丙	I社の株式	(1) 評価方式の判定 $\frac{80個（丙）+40個（E）}{400個}$＝30%≧30%≧25% ∴ 配偶者丙は同族株主に該当し、かつ、中心的な同族株主に該当するため、原則的評価方式。 (2) 評価額 4,592＜6,170 ∴ 4,592×70,000株＝321,440,000	[2] 321,440,000
配偶者丙	家庭用財産等	19,110,000－1,800,000＋3,700,000＝21,010,000	[2] 21,010,000
養子C	M市の宅地	34,500,000×$\frac{210㎡}{200㎡}$×1.1×(1－70%×30%) ＝31,479,525	[2] 31,479,525
養子C	M市の家屋	4,200,000×1.0×(1－30%)＝2,940,000	2,940,000
養子C	ゴルフ会員権	11,000,000×$\frac{70}{100}$＝7,700,000	[2] 7,700,000

取得者	財産	計算	点	金額
子　D	N市の宅地	390千円×0.97[*1]×0.94[*2]×160㎡×（1－70%） ＝17,068,896 ＊1　$\frac{160㎡}{17m}$＝9.41…m＜12m　∴　0.97 ＊2　$\frac{204㎡-160㎡}{17m\times12m(=204㎡)}$＝0.2156…≧20%、 地積区分A　∴　0.94	2	17,068,896
子　D	利付社債	(1)　102.7＋100×0.5%×$\frac{219日}{365日}$ ×（1－20.315%）＝102.939055 (2)　102.939055×$\frac{6,000,000}{100}$＝6,176,343 （円未満切捨）	2	6,176,343
養子E	I社株式	(1)　評価方式の判定 $\frac{40個}{400個}$＝10%≧5% ∴　養子Eは同族株主に該当し、かつ、議決権割合が5%以上であるため、原則的評価方式。 (2)　評価額 4,592×30,000株＝137,760,000		137,760,000
子　A	P社株式	(1)　$\frac{520+511}{2}$＝515.5 → 515（円未満切捨） (2)　555　(3)　510　(4)　530 ∴　510×24,000株＝12,240,000	2	12,240,000
子　A 先妻乙	円貨建米国債 外国預託証券		2	5,000,000 20,000,000
配偶者丙 子　A 養子C 子　D 養子E		120,000,000×{ $\frac{1}{2}$＋8,000,000＝68,000,000 [2] $\frac{1}{2}\times\frac{1}{4}$＝15,000,000 $\frac{1}{2}\times\frac{1}{4}$＝15,000,000 $\frac{1}{2}\times\frac{1}{4}$＝15,000,000 $\frac{1}{2}\times\frac{1}{4}$＝15,000,000 }	2	68,000,000 15,000,000 15,000,000 15,000,000 15,000,000
		※　小規模宅地等の特例（対象資産及び減額割合2） (1)　特例対象宅地等 丙〔特定居住用宅地等〕42,984,000÷144㎡×$\frac{80}{100}$×330＝78,804,000		

		丙〔特定事業用宅地等〕 $183,300,000 \div 300㎡ \times \frac{80}{100} \times 400 = 195,520,000$ C〔貸付事業用宅地等〕 $31,479,525 \div 210㎡ \times \frac{50}{100} \times 200 = 14,990,250$ D〔貸付事業用宅地等〕 $17,068,896 \div 160㎡ \times \frac{50}{100} \times 200 = 10,668,060$ (2) 調整による減額金額 丙（特定事業用宅地等）300㎡、丙（特定居住用宅地等）82.5㎡を選択する。 丙〔特定事業用宅地等〕 $183,300,000 \times \frac{300㎡}{300㎡} \times \frac{80}{100} = 146,640,000$ 丙〔特定居住用宅地等〕 $42,984,000 \times \frac{82.5㎡}{144㎡} \times \frac{80}{100} = 19,701,000$ 146,640,000＋19,701,000＝166,341,000 (3) 併用による減額金額 丙（特定事業用宅地等）300㎡、丙（特定居住用宅地等）144㎡を選択する。 丙〔特定事業用宅地等〕 $183,300,000 \times \frac{300㎡}{300㎡} \times \frac{80}{100} = 146,640,000$ 丙〔特定居住用宅地等〕 $42,984,000 \times \frac{144㎡}{144㎡} \times \frac{80}{100} = 34,387,200$ 146,640,000＋34,387,200＝181,027,200 (4) (2)＜(3)　∴　(3)	

2　相続又は遺贈によるみなし取得財産価額の計算（6点）　（単位：円）

取得者	財産の種類	計算過程	課税価格に算入される金額
配偶者丙	生命保険金	36,000,000－1,000,000＝35,000,000	2　35,000,000
子　D	生命保険金	(1) 30,000,000 (2) 3,100,000×9.471＝29,360,100 (3) (1)＞(2)　∴　$30,000,000 \times \frac{1}{2} = 15,000,000$	2　15,000,000
養子E	生命保険金	被相続人甲が保険料を負担していないため、相続税の課税は生じない。 (1) 5,000,000×5人＝25,000,000 (2) 35,000,000(丙)＋15,000,000(D)＝50,000,000 (3) (1)＜(2)　∴	2　——
配偶者丙	非課税金額	$25,000,000 \times \frac{35,000,000}{50,000,000} = 17,500,000$	△17,500,000
子　D	非課税金額	$25,000,000 \times \frac{15,000,000}{50,000,000} = 7,500,000$	△7,500,000

配偶者丙	退職手当金		57,200,000
配偶者丙	非課税金額	5,000,000×5人=25,000,000<57,200,000 ∴ 25,000,000	△25,000,000

3 債務控除額の計算（4点） （単位：円）

債務及び葬式費用	負担者	計算過程	金額
債務	配偶者丙	仏壇購入のための未払金は控除できない。	2 33,030,000
	養子C		7,858,000
	子A		1,890,000
葬式費用		2,000,000+3,000,000+200,000+150,000 =5,350,000	
	配偶者丙	$5,350,000 \times \frac{1}{5} = 1,070,000$	2 1,070,000
	子A	〃	1,070,000
	養子C	〃	1,070,000
	子D	〃	1,070,000
	養子E	〃	1,070,000

4 相続税の課税価格に加算する贈与財産価額 （単位：円）

贈与年分	受贈者	計算過程	加算される贈与財産価額
令和4年	養子C	相続開始前3年以内の贈与でないため、生前贈与加算の適用なし。	——
令和5年	配偶者丙		36,000,000
令和7年	子D		3,000,000

5 各人の課税価格の計算 （単位：円）

区分＼相続人等	配偶者丙	養子C	子D	養子E	子A	先妻乙
相続又は遺贈による取得財産	594,106,800	57,119,525	38,245,239	152,760,000	32,240,000	20,000,000
みなし取得財産	49,700,000		7,500,000	——		
債務	△33,030,000	△7,858,000			△1,890,000	
葬式費用	△1,070,000	△1,070,000	△1,070,000	△1,070,000	△1,070,000	
生前贈与加算	36,000,000	——	3,000,000			
課税価格（千円未満切捨）	645,706,000	48,191,000	47,675,000	151,690,000	29,280,000	20,000,000

問題4 解答

Ⅱ　相続税の総額の計算　（２点）

課税価格の合計額		遺産に係る基礎控除額	課税遺産額
千円 942,542		30,000＋6,000×５人　千円 ＝60,000	千円 882,542
法定相続人	法定相続分	法定相続分に応ずる取得金額	相続税の総額の基となる税額
配偶者丙	$\frac{1}{2}$	千円 441,271	円 178,635,500
子　A	$\frac{1}{2}\times\frac{1}{4}=\frac{1}{8}$	110,317	27,126,800
子　B	$\frac{1}{2}\times\frac{1}{4}=\frac{1}{8}$	110,317	27,126,800
子　D	$\frac{1}{2}\times\frac{1}{4}=\frac{1}{8}$	110,317	27,126,800
養子　C 養子　E	$\left.\right\}\frac{1}{2}\times\frac{1}{4}=\frac{1}{8}$	110,317	27,126,800
合計　５人	1		287,142,700　円

（注）法定相続人、法定相続分、遺産に係る基礎控除額ができて[2]

Ⅲ　各相続人等の納付すべき相続税額の計算（10点）

１　各人別の相続税額の計算（６点）　（単位：円）

区分＼相続人等		配偶者丙	養子C	子D	養子E	子A	先妻乙
あん分割合		0.69	0.05	0.05	0.16	0.03	0.02
算出税額		198,128,463	14,357,135	14,357,135	45,942,832	8,614,281	5,742,854
加算又は減算	相続税額の加算額				9,188,566		1,148,570
	贈与税額控除額（暦年課税）	[2]{△15,549,230		――}			
	配偶者の税額軽減額	△143,571,350					
	未成年者控除額			[2] △100,000	△1,300,000		
	障害者控除額				――	――	
納付税額（百円未満切捨）		[2]{39,007,800	14,357,100	14,257,100	53,831,300	8,614,200	6,891,400}

2　税額控除等の計算（4点）			（単位：円）
控除等の項目	対象者	計算過程	金額
相続税額の加算額（対象者[2]）	養子E	$45,942,832 \times \frac{20}{100} = 9,188,566$	9,188,566
	先妻乙	$5,742,854 \times \frac{20}{100} = 1,148,570$	1,148,570
贈与税額控除額（暦年課税）	配偶者丙	(1)　(36,000,000＋3,000,000－1,100,000)×55% －4,000,000＝16,845,000	
		(2)　(1)×$\frac{36,000,000}{36,000,000+3,000,000}$＝15,549,230	15,549,230
	子D	相続開始年分の被相続人からの贈与は、贈与税の非課税。	——
配偶者の税額軽減額（計算パターン[2]）	配偶者丙	(1)　198,128,463－15,549,230＝182,579,233	
		(2)①　942,542,000×$\frac{1}{2}$＝471,271,000 ≧160,000,000　∴　471,271,000 ②　645,706,000 ③　①＜②　∴　471,271,000 ④　287,142,700×$\frac{471,271,000}{942,542,000}$＝143,571,350	
		(3)　(1)＞(2)④　∴　143,571,350	143,571,350
未成年者控除額	子D	100,000×(18歳－17歳*)＝100,000 *　H20.2.23～R7.4.29　→　17歳2ヶ月 ∴　17歳	100,000
	養子E	100,000×(18歳－5歳*)＝1,300,000 *　R元.8.7～R7.4.29　→　5歳8ヶ月 ∴　5歳	1,300,000
障害者控除額	子A 養子E	} 非居住無制限納税義務者であるため、適用なし。	—— ——

【配　点】 [2]×25カ所　　合計50点

解答への道

1　相続人・法定相続人

(1)　子Aは、被相続人甲の離婚した場合の子に該当するが、被相続人甲と血族関係にあるため相続人となる。

(2)　養子Eは、相続人及び法定相続人には該当するが、代襲相続人の地位を有しないため、みなし実子には該当しない。従って、法定相続人の数の算入制限を受けることになる。

2　納税義務者

相続開始時において国外に住所を有している者は、被相続人甲の住所が出生以来国内にあるため非居住無制限納税義務者となる。なお、子Dは、相続開始時において英国に留学中であるが、被相続人甲から生活費等の仕送りを受け、甲の扶養親族となっているため、住所は国内となり、居住無制限納税義務者に該当する。

3　財産評価

(1)　不動産の評価

①　F市及びG市所在の宅地

二路線に接している宅地の正面路線は、路線価に奥行価格補正率を乗じた金額を比較し、大きい方とする。

②　M市所在の宅地

台帳地積と実測地積が異なるときは、固定資産税評価額を実測地積に基づくものに修正しなければならない。

③　N市所在の宅地

イ　不整形地1㎡当たりの価額

想定整形地が与えられている場合には、路線価に次のいずれか短い奥行距離に対応する奥行価格補正率を乗じて計算した価額とする。

(イ)　不整形地の地積÷間口距離（計算上の奥行距離）

(ロ)　想定整形地の奥行距離

本問では、(イ)で求めた距離の方が短くなるため、奥行価格補正率は0.97となる。

ロ　不整形地補正率

不整形地補正率は、地区、地積区分及びかげ地割合に基づいて求める。

$$\text{かげ地割合} = \frac{\text{想定整形地の地積} - \text{不整形地の地積}}{\text{想定整形地の地積}}$$

(2)　有価証券の評価

①　H社株式（上場株式）

課税時期に最終価格がない場合には、課税時期の前後の日のうち課税時期に一番近い日の最終価格を課税時期の最終価格とする。本問のように、一番近い日の最終価格が2つある場合には、これらの平均額（円未満切捨て）を課税時期の最終価格とする。

また、課税時期が基準日の翌日以後であるため、落の株価で評価することとなる。なお、株式に関する権利（本問では株式の割当てを受ける権利）の評価もあわせて行うことに注意すること。

② Ｉ社株式（取引相場のない株式）

Ｉ社は大会社であり、取得した配偶者丙及び養子Ｅが共に原則的評価方式によるため、類似業種比準価額と純資産価額（相続税評価額によって計算した金額）のいずれか低い価額を１株当たりの評価額とする。

③ ゴルフ会員権

課税時期における通常の取引価格があるため、取引相場のあるゴルフ会員権に該当する。取引相場のあるゴルフ会員権は、課税時期における通常の取引価格に100分の70を乗じて評価する。なお、預託金は、取引相場のあるゴルフ会員権については、取引価格に含まれていない旨の記載が問題文にある場合に限り、評価額に加算する。

④ 利付社債

売買参考統計値銘柄である利付社債で、課税時期に平均値がない場合には、課税時期前の平均値のうち課税時期に最も近い日（本問では４月28日）の平均値を用いる。

⑤ Ｐ社株式（上場株式）

課税時期に最終価格がない場合には、課税時期前後の最終価格のうち、課税時期に最も近い日の最終価格（その最終価格が２以上ある場合には、その平均値※）を用いる。

※ 円未満の端数が生じたときは、その端数は切り捨てる。

4 小規模宅地等の特例

(1) Ｆ市所在の宅地

被相続人甲の居住の用に供していた宅地を、配偶者丙が取得しているため、無条件で特定居住用宅地等に該当する。

(2) Ｇ市所在の宅地

相続開始前３年より前から被相続人甲の事業の用に供していた宅地を、事業承継親族である配偶者丙が取得し、かつ、継続要件を満たしているため、特定事業用宅地等に該当する。

(3) Ｍ市所在の宅地

相続開始前３年より前から被相続人甲の貸付事業の用に供していた宅地を、事業承継親族である養子Ｃが取得し、かつ、継続要件を満たしているため、貸付事業用宅地等に該当する。

(4) Ｎ市所在の宅地

相続開始前３年より前から被相続人甲の貸付事業の用に供していた宅地を、事業承継親族である子Ｄが取得し、かつ、継続要件を満たしているため、貸付事業用宅地等に該当する。

5　債務控除

仏壇購入のための未払金は、非課税財産に係る債務であるため控除できない。

6　生命保険契約

(1)　S生命保険

被相続人甲が契約者である場合の生命保険契約に関する権利は、本来の相続財産に該当する。

(2)　T生命保険

契約者貸付金等がある場合には、保険金の額から契約者貸付金等の額を控除した残額が保険金受取人に支払われることになる。なお、被相続人が契約者である場合には、取得した保険金と契約者貸付金等に係る債務は、いずれもなかったものとする。

(3)　U生命保険

10年間にわたり支払われる契約であるため、有期定期金の評価を行う。

有期定期金の評価額は、次のうちいずれか多い金額となる。

①　解約返戻金の額

②　定期金に代えて一時金の給付を受けることができる場合は、その一時金の額

③　給付を受けることができる金額の１年当たりの平均額 × 残存期間に応ずる予定利率による複利年金現価率

なお、本問においては②の一時金の額が与えられていないため、①と③のいずれか多い金額となる。

(4)　V生命保険

被相続人甲が保険料を負担していないため、相続税の課税関係は生じない。

7　税額計算

(1)　相続税額の加算

養子Eは、被相続人甲のいわゆる孫養子であるが、代襲相続人となっていないため加算対象となる。

(2)　贈与税額控除

①　配偶者丙は、令和５年中に被相続人甲から国債のほか、子Bからも現金の贈与を受けているため、贈与税額控除額については、あん分計算しなければならない。

②　子Dが相続開始の年に受けた贈与は、贈与税の非課税となるため、贈与税額控除額は計算されない。

(3)　未成年者控除

未成年者控除の対象となる者は、法定相続人であり、かつ、制限納税義務者以外の者である。従って、子Dは居住無制限納税義務者、養子Eは非居住無制限納税義務者であるため、どちらも適用対象者となる。

(4)　障害者控除

障害者控除の対象となる者は、法定相続人であり、かつ、居住無制限納税義務者及び法施行地に住所を有する特定納税義務者に限られる。従って、非居住無制限納税義務者である子Ａ及び養子Ｅは、いずれも適用を受けることはできない。

問題4
解答

問題 5　解答

※　□で囲まれた数字は配点を示す。

1　相続人等の相続税の課税価格の計算（36点）

(1)　相続又は遺贈により取得した個々の財産（次の(2)、(3)及び(6)に該当するものを除く。）の価額の計算（18点）（単位：円）

財産の種類	計算過程	取得者	課税価格に算入される金額
宅地G	(245,000×1.00＋250,000×0.97×0.03) ×0.98*(円未満切捨)×160㎡＝39,556,640 *　$\frac{20m}{8m}$＝2.5　∴　0.98	配偶者乙	[2]　39,556,640
家屋H	10,000,000×1.0＝10,000,000	配偶者乙	10,000,000
宅地I	40,000,000×$\frac{210㎡}{200㎡}$×1.2＝50,400,000	配偶者乙	[2]　50,400,000
家屋J	6,500,000×1.0＝6,500,000	配偶者乙	6,500,000
宅地K	1,250,000×1.00*1×0.96*2×320㎡×(1－60%) ＝153,600,000 *1　$\frac{320㎡}{14m}$＝22.85…m＜24m　∴　1.00 *2 (1)　普通住宅地区 (2)　320㎡＜500㎡　∴　地積区分A (3)　$\frac{384㎡－320㎡}{24m×16m(＝384㎡)}$＝0.166…≧15% ∴　(1)から(3)により0.96	子　B	[2]　153,600,000
別荘及び別荘地	320,000ユーロ×140.20＝44,864,000	子　B	[2]　44,864,000
L社株式	(1)　492　(2)　491　(3)　494　(4)　493 ∴　491×20,000株＝9,820,000	配偶者乙	[2]　9,820,000
配当期待権	10×20,000株×(1－20.315%)＝159,370	配偶者乙	159,370
M社株式	(1)　評価方式の判定 $\frac{500個(B)＋50個(乙)}{1,200個}$＝45.83…%＜50% ∴　子Bは同族株主に該当しないため、特例的評価方式。 $\frac{650個(戊)}{1,200個}$＝54.16…%＞50%≧5% ∴　友人戊は同族株主に該当し、かつ、株式取得後の議決権割合が5%以上であるため、原則的評価方式。		

財産の種類	計算過程	取得者	課税価格に算入される金額
	(2) 原則的評価方式による評価額 ① 1,503 ② 2,536 ③ ①＜② ∴ 1,503 (3) 特例的評価方式による評価額 ① 250 ② 1,503 ③ ①＜② ∴ 250 (4) 各人の評価額		
	B 250×45,000株＝11,250,000	子 B	[2] 11,250,000
	戊 1,503×10,000株＝15,030,000	友人戊	15,030,000
Nゴルフ会員権	2,597,000＋1,000,000＝3,597,000	養子E	[2] 3,597,000
受益証券	$10,300\times\frac{2,000万口}{1万口}-245,000-22\times\frac{2,000万口}{1万口}$ ＝20,311,000	養子F	[2] 20,311,000
定期預金	$10,000,000+(10,000,000\times0.245\%\times\frac{511日}{365日}$ $-10,000,000\times0.25\%)\times(1-20.315\%)$ ＝10,007,411 ＊ 源泉徴収税額円未満切捨。	養子D	[2] 10,007,411
分割財産	$240,000,000\times\frac{1}{2}$ ＝120,000,000	配偶者乙	120,000,000
	$240,000,000\times\frac{1}{2}\times\frac{1}{4}$ ＝30,000,000	子 B	30,000,000
	$240,000,000\times\left(\frac{1}{2}\times\frac{1}{4}+\frac{1}{2}\times\frac{1}{4}\right)$ ＝60,000,000	養子D	60,000,000
	$240,000,000\times\frac{1}{2}\times\frac{1}{4}$ ＝30,000,000	養子F	30,000,000

(2) 相続又は遺贈によるみなし取得財産（相続時精算課税の適用を受ける財産を除く。）価額の計算（10点） （単位：円）

財産の種類	計算過程	取得者	課税価格に算入される金額
生命保険金	$(80,000,000-2,000,000)\times\frac{1}{2}-10,000,000$ ＝29,000,000	配偶者乙	[2] 29,000,000
	$2,000,000\times\frac{1}{2}$＝1,000,000	子 B	[2] 1,000,000
	人格のない社団に対する寄附は、措置法70条の非課税の適用なし。	養子E	[2] 40,000,000
		養子F	50,000,000

非課税金額	(1)　5,000,000×５人＝25,000,000 (2)　29,000,000(乙)＋1,000,000(Ｂ) 　　＋50,000,000(Ｆ)＝80,000,000 (3)　(1)<(2)　　∴		
	25,000,000× $\frac{29,000,000}{80,000,000}$ ＝9,062,500	配偶者乙	△ 9,062,500
	25,000,000× $\frac{1,000,000}{80,000,000}$ ＝312,500	子　B	△ 312,500
	25,000,000× $\frac{50,000,000}{80,000,000}$ ＝15,625,000	養 子 F	△15,625,000
	相続人でないため、適用なし。	養 子 E	——
生命保険契約に関する権利	4,500,000× $\frac{1}{2}$ ＝2,250,000	子　B	[2] 2,250,000
退職手当金等	40,000,000＋(5,000,000−600,000×６月) ＝41,400,000	配偶者乙	[2] 41,400,000
非課税金額	5,000,000×５人＝25,000,000<41,400,000 ∴　25,000,000	配偶者乙	△25,000,000

(3)　相続時精算課税の適用を受ける贈与財産価額の計算　　(単位：円)

贈与年分	受 贈 者	計　算　過　程	加算等される贈与財産価額
令和３年分	子　C		50,000,000

(4)　小規模宅地等の特例の計算（２点）　　(単位：円)

①　特例対象宅地等（対象資産及び減額割合[2]）

乙（特定居住用宅地等）　39,556,640÷160㎡× $\frac{80}{100}$ ×330＝65,268,456

乙（特定事業用宅地等）　50,400,000÷210㎡× $\frac{80}{100}$ ×400＝76,800,000

Ｂ（特定同族会社事業用宅地等）　153,600,000÷320㎡× $\frac{80}{100}$ ×400＝153,600,000

②　調整による減額金額

Ｂ（特定同族会社事業用宅地等）から320㎡ $\left[\frac{320㎡}{400㎡}=80\%\right]$ 及び乙（特定事業用宅地等）から80㎡(400㎡×(１−80%)) を選択する。

Ｂ　153,600,000× $\frac{320㎡}{320㎡}$ × $\frac{80}{100}$ ＝122,880,000

乙　50,400,000× $\frac{80㎡}{210㎡}$ × $\frac{80}{100}$ ＝15,360,000

122,880,000＋15,360,000＝138,240,000

③　併用による減額金額

B　$153,600,000 \times \frac{320㎡}{320㎡} \times \frac{80}{100} = 122,880,000$

乙　$50,400,000 \times \frac{80㎡}{210㎡} \times \frac{80}{100} = 15,360,000$

乙　$39,556,640 \times \frac{160㎡}{160㎡} \times \frac{80}{100} = 31,645,312$

122,880,000＋15,360,000＋31,645,312＝169,885,312

④　②＜③　∴　③

特例適用対象財産	取得者	課税価格から減額される金額
宅地K	子　B	122,880,000
宅地I	配偶者乙	15,360,000
宅地G	配偶者乙	31,645,312

(5)　課税価格から控除すべき債務及び葬式費用の計算　（単位：円）

債務及び葬式費用	負担者	計算過程	金額
債務	子　B	9,969,000＋15,000ユーロ×143.20	
		＝12,117,000	12,117,000
		遺言の執行費用は控除できない。	
	配偶者乙	300,000＋200,000＋900,000＝1,400,000	1,400,000
葬式費用	配偶者乙	} $6,000,000 \times \frac{1}{4} = 1,500,000$	1,500,000
	子　B		1,500,000
	養子D		1,500,000
	養子F		1,500,000

(6)　課税価格に加算する贈与財産（暦年贈与財産）価額の計算　（単位：円）

贈与年分	受贈者	計算過程	加算される贈与財産価額
令和6年	養子D		30,000,000
令和6年	子　B		3,000,000
令和7年	配偶者乙	490×10,000株＝4,900,000	4,900,000

問題5　解答

(7) 相続人等の課税価格の計算（６点）							(単位：円)
区分＼相続人等	配偶者乙	子　B	友人戊	養子E	養子F	養子D	子　C
相続又は遺贈による取得財産	189,430,698	116,834,000	15,030,000	3,597,000	50,311,000	70,007,411	
みなし取得財産	36,337,500	2,937,500		40,000,000	34,375,000		
相続時精算課税の適用を受ける贈与財産							②50,000,000
債務及び葬式費用	△2,900,000	△13,617,000			△1,500,000	△1,500,000	
生前贈与加算（暦年課税分）	②4,900,000	3,000,000				②30,000,000	
課税価格（1,000円未満切捨）	227,768,000	109,154,000	15,030,000	43,597,000	83,186,000	98,507,000	50,000,000

2　納付すべき相続税額の計算（14点）

(1) 相続税の総額の計算（２点）				
課税価格の合計額		遺産に係る基礎控除額	課税遺産額	
627,242 千円		30,000＋6,000×５人＝60,000 千円	567,242 千円	
法定相続人	法定相続分	法定相続分に応ずる取得金額	相続税の総額の基となる税額	
配偶者乙	$\frac{1}{2}$	283,621 千円	100,629,450 円	
子　B	$\frac{1}{2}\times\frac{1}{5}=\frac{1}{10}$	56,724	10,017,200	
子　C	$\frac{1}{2}\times\frac{1}{5}=\frac{1}{10}$	56,724	10,017,200	
養子D	$\frac{1}{2}\times\frac{1}{5}+\frac{1}{2}\times\frac{1}{5}=\frac{1}{5}$	113,448	28,379,200	
養子E・養子F	$\frac{1}{2}\times\frac{1}{5}=\frac{1}{10}$	56,724	10,017,200	
合計　5人	1		(100円未満切捨) 159,060,200 円	

(注)　法定相続人、法定相続分及び法定相続人の数ができて②

(2) 相続人等の納付すべき相続税額の計算（６点）　　（単位：円）

区分＼相続人等		配偶者乙	子　B	友人戊	養子E	養子F	養子D	子　C
算出税額		57,758,924	27,679,997	3,811,407	11,055,617	21,094,859	24,980,060	12,679,332
加算又は減算	相続税額の2割加算金額			762,281	2,211,123	4,218,971		
	贈与税額控除額（暦年課税）	2 ――	△190,000				△11,950,000	
	配偶者の税額軽減額	△57,758,924						
	未成年者控除額				2	△900,000	△100,000	
	障害者控除額					△7,600,000	――	
	外国税額控除額		△1,750,000					
	贈与税額控除額（精算課税）							△5,000,000
納付税額（100円未満切捨）		2 0	25,739,900	4,573,600	13,266,700	16,813,800	12,930,000	7,679,300

(3) 相続税額の２割加算金額及び控除金額の計算（６点）　　（単位：円）

加算及び控除の項目	対象者	計算過程	金額
相続税額の2割加算金額（対象者2）	友人戊	$3,811,407\times\frac{20}{100}=762,281$	762,281
	養子E	$11,055,617\times\frac{20}{100}=2,211,123$	2,211,123
	養子F	$21,094,859\times\frac{20}{100}=4,218,971$	4,218,971
贈与税額控除額（暦年課税）	養子D	(30,000,000－1,100,000)×50%－2,500,000 ＝11,950,000	11,950,000
	子　B	(3,000,000－1,100,000)×10%＝190,000	190,000
	配偶者乙	相続開始年分の被相続人からの贈与財産は、贈与税の非課税財産。	――
配偶者の税額軽減額（計算パターン2）	配偶者乙	(1) 57,758,924 (2)① $627,242,000\times\frac{1}{2}$ ＝313,621,000≧160,000,000 ∴ 313,621,000 ② 227,768,000(千円未満切捨) ③ ①＞②　∴ 227,768,000	

		④　$159,060,200\times\frac{227,768,000}{627,242,000}=57,758,924$	
		(3)　(1)≦(2)④　　∴　57,758,924	57,758,924
未成年者控除額	養子D	100,000×(18歳－17歳)＝100,000	100,000
	養子F	100,000×(18歳－9歳)＝900,000	900,000
障害者控除額	養子D	非居住無制限納税義務者であるため、適用なし。	——
	養子F	100,000×(85歳－9歳)＝7,600,000	7,600,000
外国税額控除額 (計算パターン[2])	子　B	(1)　1,750,000 (2)　(27,679,997－190,000) $\times\frac{44,864,000-2,148,000^{*}}{106,154,500}$ ＝11,061,826（円未満切捨） ＊　15,000ユーロ×143.20＝2,148,000	
		(3)　(1)＜(2)　　∴　1,750,000	1,750,000
贈与税額控除額 （精算課税）	子　C	(50,000,000－25,000,000*)×20%＝5,000,000 ＊　50,000,000＞25,000,000　　∴　25,000,000	5,000,000

【配　点】 [2]×25カ所　　合計50点

解答への道

1　法定相続人の数

被相続人甲には養子が3人いるが、養子Dは代襲相続権を有する孫であるためみなし実子に該当し、養子の数の算入制限の対象外となる。しかし、養子E及び養子Fは代襲相続権を有する孫に該当しないため、養子の数の算入制限の対象となり、2人で1人となる。

2　相続税の納税義務者

(1)　養子Dは相続開始時において法施行地に住所を有していないが、被相続人甲が外国人被相続人又は非居住被相続人に該当しないため、非居住無制限納税義務者に該当する。

(2)　子Cは相続又は遺贈により財産を取得していないが、相続時精算課税適用財産を取得しているため、特定納税義務者に該当する。

3　財産評価

(1)　宅地G及び家屋H

被相続人甲が居住の用に供していた宅地及び家屋であるため、自用地及び自用家屋として評価する。

(2)　宅地I及び家屋J

被相続人甲が家屋を配偶者乙に使用貸借契約により貸し付けていたため、自用地及び自用家屋として評価する。なお、宅地Iの評価に際して、土地課税台帳に登録されている地積と実測地積が異なるため、固定資産税評価額を実測地積に対応する価額に修正したうえで倍率を乗ずる。

(3)　宅地K

被相続人甲がM社に賃貸借契約により貸し付けていたため、貸宅地として評価する。なお、想定整形地を用いた場合の不整形地の評価は、次のとおりである。

路線価×奥行価格補正率[※1]×不整形地補正率[※2]×地積

※1　次のいずれか短い距離に対応する奥行価格補正率を用いる。

(1)　$\frac{\text{不整形地の地積}}{\text{間口距離}}$（＝計算上の奥行距離）

(2)　想定整形地の奥行距離

※2　不整形地補正率は、その不整形地の所在する地区、地積及びかげ地割合から求める。なお、かげ地割合の求め方は次のとおりである。

$\frac{\text{想定整形地の地積}-\text{不整形地の地積}}{\text{想定整形地の地積}}$

(4)　別荘及び別荘地

邦貨換算を行う場合において課税時期に為替相場がないときは、課税時期の前日以前の為替相場のうち課税時期に最も近い日のものを用いる。なお、財産の邦貨換算は対顧客直物電信買相場により行う。

(5)　L社の株式

課税時期が基準日の翌日以後にあるため落ちで評価するとともに株式に関する権利（本問では「配当期待権」）を併せて評価する。なお、配当金交付の場合の月平均額は常に初日から末日までのものを用いる。

(6)　M社の株式

①　評価方式の判定

原則的評価方式による評価か特例的評価方式による評価かの判定は、相続開始直後の状況で行う。したがって、相続開始直後は友人戊が同族株主に該当し取得後の議決権割合が５％以上であるため原則的評価方式となり、子Ｂは同族株主には該当しないため特例的評価方式となる。

②　原則的評価方式による評価額

一般の評価会社である大会社の株式は、類似業種比準価額と純資産価額のいずれか低い方の金額により評価する。

③　特例的評価方式による評価額

配当還元価額と原則的評価方式による評価額のいずれか低い方の金額により評価する。

(7)　Ｎゴルフ会員権

取引相場のないゴルフ会員権で株主となること及び預託金を預託することが条件となっているものは、株式の評価額に預託金の返還可能額を加算して評価する。

(8)　証券投資信託の受益証券

課税時期に基準価額がない場合には、課税時期の前日以前の基準価額のうち課税時期に最も近い日のものを用いる。

(9)　定期預金

中間利払のあるものは、次の公式により評価する。

$$預入高+\left(\begin{array}{l}課税時期において解約すると\\した場合の既経過利子の額※\end{array}\right)\times(1-20.315\%)$$

※　中間利払がある場合

$$預入高\times解約利率\times\frac{預入日から課税時期の前日までの日数}{365日}-預入高\times中間利払利率$$

4　小規模宅地等の特例

(1)　宅地Ｇ

被相続人甲が居住の用に供している宅地を配偶者乙が取得しているため、無条件で特定居住用宅地等に該当する。

⑵　宅地Ｉ

被相続人甲から使用貸借契約により借り受けている同一生計親族である配偶者乙が相続開始前３年より前から事業の用に供している宅地を、配偶者乙本人が取得し、継続要件を満たしているため、特定事業用宅地等に該当する。

⑶　宅地Ｋ

被相続人甲がＭ社に賃貸借契約により貸し付けており、継続要件等を満たすため、特定同族会社事業用宅地等に該当する。

なお、被相続人甲及び同族関係者の持株割合が50％超の判定は相続開始の直前で行うため、要件を満たすこととなる。

５　債務控除

債務を邦貨換算する場合には、課税時期の対顧客直物電信売相場を用いる。なお、課税時期に為替相場がない場合には、課税時期の前日以前の為替相場のうち課税時期に最も近い日のものを用いる。

６　生命保険契約関係及び措置法第70条の非課税

⑴　Ｏ生命保険

契約者貸付金の金額がある場合には、保険金受取人には契約保険金の金額から契約者貸付金相当額が差し引かれた差額が支払われることとなる。この場合において、保険料負担割合がある場合には差額に対して保険料負担割合を乗ずることにより被相続人甲から相続又は遺贈により取得したものとみなされる金額を求める。なお、租税特別措置法第70条の非課税の規定の適用がある場合には、保険料負担割合を乗じた後に非課税金額を控除する。

また、契約者が被相続人以外の者である場合において契約者貸付金がある場合には、契約者に対して契約者貸付金相当額の保険金の支払いがあったとしてみなし課税を行うこととなるが、ここでも保険料負担割合を乗ずることとなる。

⑵　Ｐ生命保険

人格のない社団に対する寄附は租税特別措置法第70条の非課税の規定の適用はない。

⑶　Ｒ生命保険

被保険者が子Ｂであるため、保険事故が未発生の契約である。掛捨契約以外の生命保険契約で保険事故が未発生の場合には、生命保険契約に関する権利を解約返戻金の金額により評価する。なお、契約者が被相続人以外の者であるため、みなし財産となる。

７　退職手当金等

被相続人甲の死亡は業務上の死亡ではないため、一般の弔慰金のうち普通給与の半年分までは退職手当金等に該当しない。

8　相続税額の２割加算

養子Ｅ及び養子Ｆは、代襲相続人ではないため相続税額の２割加算の対象者となる。

9　贈与税額控除（暦年課税）

贈与税額控除額は、贈与税の外国税額控除適用前の税額をベースに計算するため、法施行地外で贈与税に相当する税が課されている場合であっても、その税額は考慮せずに計算する。

10　未成年者控除及び障害者控除

非居住無制限納税義務者は未成年者控除の適用はあるが、障害者控除の適用はない。したがって、非居住無制限納税義務者である養子Ｄは、未成年者控除の適用はあるが、障害者控除の適用はない。

11　相続税の外国税額控除

相続税の外国税額控除の計算パターンは、次のとおりである。

⑴　原則的な控除額
　　その地の法令に基づいて課された相続税相当額

⑵　控除限度額

$$\text{相次相続控除まで適用後の算出相続税額} \times \frac{\text{法施行地外にある財産の価額※1} - \text{その財産に係る債務の金額}}{\text{純資産価額※2} + \text{相続開始年分の被相続人からの暦年課税贈与財産の価額}}$$

⑶　控除額
　　⑴、⑵のうちいずれか少ない金額

※１　相続開始年分の被相続人からの贈与財産を含む。

※２　純資産価額の注意点は、以下の２点である。

①　生前贈与加算適用前の金額

②　千円未満の端数切捨なし

MEMO

問題 6	解答

※　□で囲まれた数字は配点を示す。

1　相続人等の相続税の課税価格の計算（36点）

(1) 相続又は遺贈により取得した個々の財産の価額の計算（24点）　　（単位：円）

財産の種類	計　算　過　程	取得者	課税価格に算入される金額
宅地H及び宅地I	270,000×0.99×(100㎡＋120㎡)＝58,806,000	配偶者乙	[2] 58,806,000
建物J	9,200,000×1.0＝9,200,000	配偶者乙	9,200,000
宅地K	250,000×1.00×0.91※×240㎡＝54,600,000 ※　$\frac{5\text{m}\times12\text{m}}{(15\text{m}+5\text{m})\times12\text{m}}$＝0.25≧0.20　∴ 0.91	子　B	[2] 54,600,000
L社債	101.75＋100×1.25%×$\frac{146日}{365日}$×（1－20.315%） ＝102.148425 102.148425×$\frac{5,000,000}{100}$＝5,107,421(円未満切捨)	子　B	[2] 5,107,421
宅地M	(300,000×1.00＋225,000×0.97×0.03※＋200,000×1.00×0.02)×300㎡×（1－60%×30%×$\frac{30㎡\times10戸}{30㎡\times10戸}$）＝76,394,562 ※　円未満切捨	子　C	[2] 76,394,562
建物N	25,000,000×1.0×（1－30%×$\frac{30㎡\times10戸}{30㎡\times10戸}$） ＝17,500,000	子　C	17,500,000
G社株式	(1) 評価方式の判定 $\frac{800個+4,000個+3,200個}{20,000個}$＝40%≧30%≧25% 夫A’及び養子Dは同族株主、かつ、中心的な同族株主に該当するため、原則的評価方式 (2) 類似業種比準価額 ①　1株当たりの資本金等の額 10,000,000÷20,000株＝500 ②　1株当たりの資本金等の額を50円とした場合の発行済株式数 10,000,000÷50＝200,000株 ③　Ⓑの金額 $\frac{(750,000+800,000)\div2}{200,000株}$ ＝3.8（10銭未満切捨）		

	④　Ⓒの金額			
	4,340,000＜(4,340,000＋4,850,000)÷2			
	＝4,595,000			
	$\frac{4,340,000}{200,000株}$＝21（円未満切捨）			
	⑤　Ⓓの金額			
	$\frac{10,000,000+26,000,000}{200,000株}$＝180			
	⑥　類似業種比準価額			
	$302\times\frac{\frac{3.8}{4.2}\overset{※}{(0.90)}+\frac{21}{31}\overset{※}{(0.67)}+\frac{180}{222}\overset{※}{(0.81)}}{3}$			
	$\overset{※}{(0.79)}$×0.6＝143.1（10銭未満切捨）			
	143.1×$\frac{500}{50}$＝1,431 [2]			
	※　小数点以下２位未満切捨			
	(3)　１株当たりの純資産価額			
	①　78,100,000－12,000,000＝66,100,000			
	②　48,100,000－12,000,000＝36,100,000			
	③　$\frac{①-(①-②)\times37\%}{20,000株}$＝2,750 [2]			
	(4)　評価額			
	$\overset{※}{1,431}$×0.6＋2,750×$\frac{80}{100}$×(1－0.6)			
	＝1,738（円未満切捨）			
	※　1,431＜2,750　　∴　1,431			
	1,738×　800株＝1,390,400	夫　A’	[2]	1,390,400
	1,738×4,000株＝6,952,000	養子　D	[2]	6,952,000
O社株式	東　京　(1) 503 (2) 498 (3) 499 (4) 511　∴ 498			
	名古屋　(1) 500 (2) 501 (3) 497 (4) 513　∴ 497			
	498＞497　∴　497×20,000株＝9,940,000	養子　D	[2]	9,940,000
P証券投資信託の受益証券	1×2,500万口＋1.5×$\frac{2,500万口}{1万口}$×(1－$\overset{※}{20.315}$%)			
	－31,250＝24,971,739	養子　E	[2]	24,971,739
	※　源泉徴収税額円未満切捨			
Q定期預金	20,000,000＋20,000,000×1.5%×$\frac{73日}{365日}$			
	×(1－20.315%)＝20,047,811	子　C	[2]	20,047,811
現金		F　会	[2]	5,000,000

問題6　解答

(2) 相続又は遺贈によるみなし取得財産の価額の計算　(単位：円)

財産の種類	計算過程	取得者	課税価格に算入される金額
退職手当金等		配偶者乙	30,000,000
非課税金額	(1) 5,000,000×5人=25,000,000 (2) 30,000,000 (3) (1)<(2)　∴ 25,000,000	配偶者乙	△25,000,000
生命保険金	$(50,000,000+60,000)\times\frac{1}{2}=25,030,000$	養子D	25,030,000
非課税金額	(1) 5,000,000×5人=25,000,000 (2) 25,030,000 (3) (1)<(2)　∴ 25,000,000	養子D	△25,000,000
生命保険契約に関する権利	$11,000,000\times\frac{1}{2}=5,500,000$	夫A'	5,500,000

(3) 小規模宅地等の特例の計算（2点）　(単位：円)

① 特例対象宅地等

配偶者乙（特定居住用宅地等）$58,806,000\div220㎡\times\frac{80}{100}\times330=70,567,200$

子　B（特定事業用宅地等）$54,600,000\div240㎡\times\frac{80}{100}\times400=72,800,000$

子　C（貸付事業用宅地等）$76,394,562\div300㎡\times\frac{50}{100}\times200=25,464,854$

② 調整計算による減額金額

子B（特定事業用宅地等）から240㎡〔$\frac{240㎡}{400㎡}=60\%$〕及び配偶者乙（特定居住用宅地等）から132㎡〔330㎡×(1－60%)〕を選択する。

子　B（特定事業用宅地等）$54,600,000\times\frac{240㎡}{240㎡}\times\frac{80}{100}=43,680,000$

配偶者乙（特定居住用宅地等）$58,806,000\times\frac{132㎡}{220㎡}\times\frac{80}{100}=28,226,880$

43,680,000+28,226,880=71,906,880

③ 併用計算による減額金額

配偶者乙（特定居住用宅地等）$58,806,000\times\frac{220㎡}{220㎡}\times\frac{80}{100}=47,044,800$

子　B（特定事業用宅地等）$54,600,000\times\frac{240㎡}{240㎡}\times\frac{80}{100}=43,680,000$

47,044,800+43,680,000=90,724,800

④ ②<③　∴ ③

特例適用対象財産	取得者	課税価格から減額される金額
宅地H及び宅地I	配偶者乙	2 47,044,800
宅地K	子　B	43,680,000

(4) 課税価格から控除すべき債務及び葬式費用　(単位：円)

債務及び葬式費用	負担者	計算過程	金額
債務	配偶者乙	200,000＋300,000＝500,000	500,000
	子 C		667,000
	子 B		1,000,000
葬式費用		500,000＋4,500,000＋500,000＝5,500,000	
	配偶者乙	$5,500,000\times\frac{1}{4}=1,375,000$	1,375,000
	子 B		1,375,000
	子 C		1,375,000
	養子 D		1,375,000

(5) 課税価格に加算する贈与財産（暦年課税分）の価額の計算　(単位：円)

贈与年分	受贈者	計算過程	加算される贈与財産価額
令和4年	夫 A’		3,000,000
令和4年	子 C	35,000,000＜60,000,000 ∴ 35,000,000	
		35,000,000－35,000,000＝0	0
令和5年	養子 D		5,000,000
令和6年	F 会		5,000,000

(6) 相続人等の課税価格の計算（10点）　(単位：円)

区分＼相続人等	配偶者乙	子 B	子 C	夫 A’	養子 D	養子 E	F 会
遺贈又は遺贈による取得財産	20,961,200	16,027,421	113,942,373	1,390,400	16,892,000	24,971,739	5,000,000
みなし取得財産	[2] 5,000,000			[2] 5,500,000	[2] 30,000		
債務及び葬式費用	△1,875,000	△2,375,000	[2]△2,042,000		△1,375,000		
生前贈与加算（暦年課税分）			0	[2] 3,000,000	5,000,000		5,000,000
課税価格（1,000円未満切捨）	24,086,000	13,652,000	111,900,000	9,890,000	20,547,000	24,971,000	10,000,000

問題6 解答

2　納付すべき相続税額の計算（14点）

(1) 相続税の総額の計算（２点）

課税価格の合計額	遺産に係る基礎控除額	課税遺産額
千円 215,046	30,000＋6,000×５人　千円 ＝60,000	千円 155,046

法定相続人	法定相続分	法定相続分に応ずる取得金額	相続税の総額の基となる税額
		千円	円
配偶者乙	$\frac{1}{2}$	77,523	16,256,900
子　B	$\frac{1}{2}\times\frac{1}{5}=\frac{1}{10}$	15,504	1,825,600
子　C	$\frac{1}{2}\times\frac{1}{5}=\frac{1}{10}$	15,504	1,825,600
養子D	$\frac{1}{2}\times\frac{1}{5}+\frac{1}{2}\times\frac{1}{5}=\frac{1}{5}$	31,009	4,201,800
養子E	$\frac{1}{2}\times\frac{1}{5}=\frac{1}{10}$	15,504	1,825,600
合計　５人	1		（100円未満切捨） 25,935,500　円

（注）　法定相続人、法定相続分、法定相続人の数及び基礎控除額すべてできて[2]

(2) 相続人等の納付すべき相続税額の計算（８点）

（単位：円）

区分 ＼ 相続人等		配偶者乙	子　B	子　C	夫　A'	養子D	養子E	F　会
算出税額		2,904,878	1,646,491	13,495,635	1,192,777	2,478,059	3,011,613	1,206,044
加算又は減算	相続税額の２割加算額				238,555		602,322	241,208
	贈与税額控除額（暦年課税分）				△190,000	[2]△943,750		[2]△450,000
	配偶者の税額軽減額	△2,904,878						
	未成年者控除額						△100,000	
	障害者控除額			[2]△3,600,000				
納付税額（100円未満切捨）		[2]　0	1,646,400	9,895,600	1,241,300	1,534,300	3,513,900	997,200

（注）　相続税額の２割加算及び控除金額の計算過程は、次の(3)に記載する。

(3) 相続税額の２割加算及び控除金額の計算（４点）　　　　(単位：円)

加算及び控除の項目	対象者	計算過程	金額
相続税額の２割加算額（対象者[2]）	夫　A’	$1,192,777 \times \frac{20}{100} = 238,555$	238,555
	養子E	$3,011,613 \times \frac{20}{100} = 602,322$	602,322
	F　会	$1,206,044 \times \frac{20}{100} = 241,208$	241,208
贈与税額控除額（暦年課税分）	夫　A’	(3,000,000－1,100,000)×10％＝190,000	190,000
	養子D	(5,000,000＋3,000,000－1,100,000)×40％ －1,250,000＝1,510,000 $1,510,000 \times \frac{5,000,000}{5,000,000+3,000,000} = 943,750$	943,750
	F　会	(1) (5,000,000－1,100,000)×20％－250,000 ＝530,000 (2) (3,000,000－1,100,000)×10％＝190,000 (3) $((1)+(2)) \times \frac{5,000,000}{5,000,000+3,000,000} = 450,000$	450,000
配偶者の税額軽減額（計算パターン[2]）	配偶者乙	(1) 2,904,878 (2)① $215,046,000 \times \frac{1}{2} = 107,523,000 < 160,000,000$ ∴ 160,000,000 ② 24,086,000 ③ ①＞②　∴ 24,086,000 ④ $25,935,500 \times \frac{24,086,000}{215,046,000} = 2,904,878$ (3) (1)≦(2)④　∴ 2,904,878	2,904,878
未成年者控除額	養子E	100,000×(18歳－17歳)＝100,000 H19.8.11～R7.6.17　17歳10月→17歳	100,000
障害者控除額	子　C	(1) 200,000×(85歳－45歳※1)＝8,000,000 (2) 200,000×(85歳－40歳※2)－5,400,000＝3,600,000 (3) (1)＞(2)　∴ 3,600,000 ※1　S55.4.21～R7.6.17　45歳１月→45歳 ※2　S55.4.21～R2.5.5　40歳０月→40歳	3,600,000

【配　点】　[2]×25カ所　　合計50点

問題6 解答

解答への道

1　法定相続人の数

被相続人甲には養子が２人(養子Ｄ及び養子Ｅ)いるが、養子Ｄは代襲相続権を有し実子とみなされる者に該当する。したがって、法定相続人の数の算入制限を受けるのは養子Ｅ１人だけとなるため、実質的に算入制限はないこととなる。

2　財産評価

(1)　宅地Ｈ及び宅地Ｉ

宅地Ｈ及び宅地Ｉは上地の利用者が同一であるため、合わせて１画地として評価する。

(2)　宅地Ｋ

宅地Ｋは使用貸借での貸付であるため、自用地として評価する。

なお、宅地の一部ががけ地となっているため、がけ地補正率を用いる。

(3)　Ｌ社債

課税時期に市場価格がない場合の公社債は課税時期よりも前の価格しか選択できないことに注意する。

(4)　宅地Ｍ及び建物Ｎ

建物Ｎは貸家に該当するため、宅地Ｍは貸家建付地として評価する。

なお、側方路線加算額の計算上、円未満端数は切捨てる。

(5)　Ｇ社株式（取引相場のない株式）

株式取得後における評価株主グループの議決権割合が30％以上(40％)であることから、夫Ａ’及び孫Ｄは同族株主に該当し、いずれも中心的同族株主に該当するため、原則的評価方式により評価する。夫Ａ’から見ると配偶者乙は一親等の姻族に該当するため、中心的な同族株主の判定に含まれることとなる。

(6)　Ｏ社株式

課税時期が基準日以前にあるため、含みの価格で評価する。

なお、２以上の金融商品取引所に上場されている場合には、最も低い金融商品取引所の価格を用いる。

3　小規模宅地等の特例

(1)　宅地Ｈ及び宅地Ｉ

被相続人甲の居住の用に供されていた宅地等を配偶者乙が取得しているため、特定居住用宅地等に該当する。

(2)　宅地Ｋ

同一生計親族である子Ｂが平成26年５月から事業の用に供していた宅地等を同一生計親族本人である子Ｂが取得し、申告期限においても宅地等を所有し事業を継続しているため、特定事業用宅地等に該当する。

(3) 宅地M

被相続人甲の貸付事業の用に供されていた宅地等を事業承継者である子Cが取得し、申告期限においても宅地等を所有し貸付事業を継続しているため、貸付事業用宅地等に該当する。

4　みなし財産

(1) 生命保険金

Ｓ生命保険契約には、剰余金等の支払いがあるため、保険金に合わせて評価する。

(2) 生命保険契約に関する権利

Ｔ生命保険契約は課税時期において、保険事故が発生しておらず、契約者が被相続人甲以外の者であるため、みなし遺贈財産の生命保険契約に関する権利として課税される。

5　債務控除

初七日の法要費用、永代供養料、香典返し費用は債務控除の対象とならない。

6　贈与税額控除額

(1) 養子D

養子Dは令和５年の１月１日現在18歳未満であるため、被相続人甲からの贈与及び子Cからの贈与のいずれも一般税率を用いて計算する。

(2) 人格のない社団Ｆ会

人格のない社団Ｆ会（みなし個人）の贈与税額は、贈与者の各一人のみから財産を取得したものとみなして計算する。また、贈与税額控除額の算定の際は取得財産の価額の比であん分する。

7　障害者控除額

子Cは亡妻C’の相続において、障害者控除の適用を受けているため、被相続人甲に係る相続税額の計算上、障害者控除額についてはすでに控除の適用を受けている場合の計算が必要となる。

問題 7	解答

※　□で囲まれた数字は配点を示す。

1　各相続人等の相続税の課税価格の計算（38点）

(1) 相続又は遺贈により取得した個々の財産（次の(2)及び(3)に該当するものを除く。）の価額の計算（14点）（単位：円）

財産の種類	計算過程	取得者	課税価格に算入される金額
借地権G	(300千円×0.99＋250千円×1.00×0.08)×216㎡×70%×(1−30%)＝33,551,280	養子E	[2] 33,551,280
建物H	25,000,000×1.0×(1−30%)＝17,500,000	養子E	17,500,000
宅地I	10,000,000×2.0＝20,000,000	配偶者乙	20,000,000
宅地J	300,000×1.00(※1)×0.98(※2)×198㎡＝58,212,000 ※1　$\frac{198㎡}{12m}$＝16.5m＞15m　∴　15m→1.00 ※2　$\frac{240㎡-198㎡}{15m\times16m(=240㎡)}$＝0.175≧15% ∴　0.98	配偶者乙	[2] 58,212,000
建物K	15,000,000×1.0＝15,000,000	配偶者乙	15,000,000
L社株式	(1) 592　(2) 596　(3) 593　(4) 595 ∴　592×20,000株＝11,840,000	子B	[2] 11,840,000
配当期待権	10×20,000株×(1−20.315%)＝159,370	子B	159,370
ゴルフ会員権	20,000,000×$\frac{70}{100}$＋5,000,000×0.993(※)＝18,965,000 ※　2年9ヶ月→3年（1年未満切上）　∴　0.993	子B	[2] 18,965,000
定期預金	30,000,000＋(30,000,000×1.4%×$\frac{584日}{365日}$−30,000,000×1.0%)×(1−20.315%)(※)＝30,296,429 ※　源泉徴収税額円未満切捨	養子D	[2] 30,296,429
受益証券	1×6,000,000口＋2,500×(1−20.315%)(※)＝6,001,993 ※　源泉徴収税額円未満切捨	配偶者乙	[2] 6,001,993
預貯金等	150,000,000×$\frac{1}{5}$＝30,000,000	配偶者乙 子B 養子D 養子E 養子F	[2] 30,000,000 30,000,000 30,000,000 30,000,000 30,000,000

(2) 相続又は遺贈により取得した個々の財産(取引相場のないM社株式)の価額の計算 (10点)

イ　評価方式の判定

$\frac{300個(乙)+50個(D)}{400個}$ ＝87.5％＞50％

$\frac{300個(乙)}{400個}$ ＝75％≧５％　　∴　配偶者乙は同族株主であり、かつ、取得後の議決権割合が５％以上であるため、原則的評価方式。1

$\frac{40個(U)}{400個}$ ＝10％＜50％　　∴　他人Uは同族株主でないため、特例的評価方式。1

ロ　１株当たりの純資産価額の計算　　(単位：円)

計　　算　　過　　程
①　相続税評価額　485,000,000－100,000,000＝385,000,000
②　帳簿価額　355,000,000－100,000,000＝255,000,000
③　$\frac{①-(①-②)\times 37\%}{40,000株}$ ＝8,422(円未満切捨) 2

ハ　１株当たりの価額の計算　　(単位：円)

財産の種類	計　　算　　過　　程	取得者	課税価格に算入される金額
M社株式	(1) 類似業種比準価額 ①　１株当たりの資本金等の額 20,000,000÷40,000株＝500 ②　１株当たりの資本金等の額を50円とした場合の発行済株式数 20,000,000÷50＝400,000株 ③　Ⓑの金額 $\frac{(0+0)\div 2}{400,000株}$ ＝0 ④　Ⓒの金額 37,450,000＞(37,450,000＋36,240,000)÷２＝36,845,000 $\frac{36,845,000}{400,000株}$ ＝92(円未満切捨) ⑤　Ⓓの金額 $\frac{20,000,000+280,500,000}{400,000株}$ ＝751(円未満切捨) ⑥　類似業種比準価額 $\overset{※1}{560}\times\frac{\frac{0}{6.5}(0.00)+\frac{92}{45}\overset{※2}{(2.04)}+\frac{751}{280}\overset{※2}{(2.68)}}{3}$ $\overset{※2}{(1.57)}$×0.7＝615.4(10銭未満切捨) $615.4\times\frac{500}{50}$ ＝6,154　2	配偶者乙 他人U	2　123,080,000 2　750,000

問題7 解答

	※1　580、592、600、560、575　∴　560 ※2　小数点以下2位未満切捨 (2)　配当還元価額 0＜2.5　　∴　2.5 $\frac{2.5}{10\%} \times \frac{500}{50} = 250$ (3)　評価額 ①　原則的評価方式による評価額 6,154＜8,422　∴　6,154 6,154×20,000株＝123,080,000 ②　特例的評価方式による評価額 250＜6,154　　∴　250 250×3,000株＝750,000		

(3)　相続又は遺贈によるみなし取得財産の価額の計算（4点）　　　　　　　　　　　　　　　　　（単位：円）

財産の種類	計　　算　　過　　程	取得者	課税価格に算入される金額
生命保険金	$30,000,000 \times \frac{1}{2} - 5,000,000 = 10,000,000$	子　B	10,000,000
		養子E	15,000,000
		妻　A’	10,000,000
非課税金額	(1)　5,000,000×5人＝25,000,000	子　B	△10,000,000
	(2)　10,000,000＋15,000,000＝25,000,000	養子E	△15,000,000
	(3)　(1)≧(2)　　∴		
	※　妻A’は相続人でないため適用なし		
生命保険契約に関する権利	$3,000,000 \times \frac{1}{2} = 1,500,000$	養子E	[2]　1,500,000
退職手当金等	30,000,000＋(8,000,000－500,000×6) ＝35,000,000	配偶者乙	[2]　35,000,000
非課税金額	5,000,000×5人＝25,000,000＜35,000,000 ∴　25,000,000	配偶者乙	△25,000,000

(4)　小規模宅地等の特例の計算（2点）　　　　　　　　　　　　　　　　　　　　　　　　　（単位：円）

①　特例対象宅地等（対象資産及び減額割合[2]）

養子E（貸付事業用宅地等）$33,551,280 \div 216㎡ \times \frac{50}{100} \times 200 = 15,533,000$

配偶者乙（特定居住用宅地等）$58,212,000 \div 198㎡ \times \frac{80}{100} \times 330 = 77,616,000$

②　調整計算による減額金額

配偶者乙（特定居住用宅地等）から198㎡〔$\frac{198㎡}{330㎡} = 60\%$〕及び養子E（貸付事業用宅地等）から80㎡〔200㎡×（1－60%）〕を選択する。

配偶者乙（特定居住用宅地等）$58,212,000 \times \frac{198㎡}{198㎡} \times \frac{80}{100} = 46,569,600$

養 子 E（貸付事業用宅地等）$33,551,280\times\frac{80㎡}{216㎡}\times\frac{50}{100}=6,213,200$

46,569,600＋6,213,200＝52,782,800

③　併用計算による減額金額

配偶者乙（特定居住用宅地等）$58,212,000\times\frac{198㎡}{198㎡}\times\frac{80}{100}=46,569,600$

④　②＞③　∴　②

特例適用対象財産	取得者	課税価格から減額される金額
宅地J	配偶者乙	46,569,600
借地権G	養 子 E	6,213,200

(5) 課税価格に加算する贈与財産（相続時精算課税適用財産）の価額の計算　(単位：円)

贈与年分	受贈者	計算過程	加算される贈与財産価額
令和5年	養 子 F		30,000,000

(6) 課税価格から控除すべき債務及び葬式費用　(単位：円)

債務及び葬式費用	負担者	計算過程	金額
債務	配偶者乙	※　遺言執行費用は控除できない。	8,000,000
	子 B	370,000＋500,000＝870,000	870,000
葬式費用	配偶者乙	$3,000,000\times\frac{1}{4}+2,000,000=2,750,000$ ※　香典返戻費用は控除できない。	2,750,000
	子 B	$3,000,000\times\frac{1}{4}=750,000$	750,000
	養 子 D		750,000
	養 子 E		750,000

(7) 課税価格に加算する贈与財産（暦年贈与財産）の価額の計算　(単位：円)

贈与年分	受贈者	計算過程	加算される贈与財産価額
令和4年	子 B	30,000,000－30,000,000(※)＝0 ※　30,000,000≦30,000,000　∴　30,000,000	0
令和4年	配偶者乙		16,000,000

問題7 解答

(8) 各相続人等の課税価格の計算（８点）　　　　　　　　　　　　　　　　　　　　　　　　（単位：円）

相続人等 区　分	養 子 E	配偶者乙	子　　B	養 子 D	養 子 F	他 人 U	妻　A’
相続又は遺贈による取得財産	74, 838, 080	205, 724, 393	60, 964, 370	60, 296, 429	30, 000, 000	750, 000	
みなし取得財産	1, 500, 000	10, 000, 000	[2] 0				10, 000, 000
相続時精算課税の適用を受ける贈与財産					[2] 30, 000, 000		
債務及び葬式費用	△750, 000	[2] △10, 750, 000	△1, 620, 000	△750, 000			
生前贈与加算（暦年課税分）	[2]	16, 000, 000	0				
課税価格（1, 000円未満切捨）	75, 588, 000	220, 974, 000	59, 344, 000	59, 546, 000	60, 000, 000	750, 000	10, 000, 000

2　納付すべき相続税額の計算（12点）

(1) 相続税の総額の計算（２点）

課税価格の合計額		遺産に係る基礎控除額	課税遺産額
千円 486, 202		30, 000＋6, 000×５人　千円 ＝60, 000	千円 426, 202
法定相続人	法定相続分	法定相続分に応ずる取得金額	相続税の総額の基となる税額
		千円	円
配偶者乙	$\frac{1}{2}$	213, 101	68, 895, 450
子　　B	$\frac{1}{2}\times\frac{1}{5}=\frac{1}{10}$	42, 620	6, 524, 000
子　　C	$\frac{1}{2}\times\frac{1}{5}=\frac{1}{10}$	42, 620	6, 524, 000
養 子 E	$\frac{1}{2}\times\frac{1}{5}+\frac{1}{2}\times\frac{1}{5}=\frac{1}{5}$	85, 240	18, 572, 000
養 子 D 養 子 F	$\frac{1}{2}\times\frac{1}{5}=\frac{1}{10}$	42, 620	6, 524, 000
合計　５人	1		（100円未満切捨） 107, 039, 400　円

（注）　法定相続人、法定相続分、法定相続人の数及び基礎控除額すべてできて[2]

(2) 相続人等の納付すべき相続税額の計算（6点）

(単位：円)

区分＼相続人等		養子E	配偶者乙	子　B	養子D	養子F	他人U	妻　A'
算出税額		16,641,013	48,648,348	13,064,829	13,109,300	13,209,250	165,115	2,201,541
加算又は減算	相続税額の2割加算額					2,641,850	33,023	440,308
	贈与税額控除額（暦年課税分）		2 △5,510,204					
	配偶者の税額軽減額		△43,138,144					
	未成年者控除額		2		△100,000			
	障害者控除額			△4,000,000	——			
	贈与税額控除額（精算課税分）					△1,000,000		
納付税額（100円未満切捨）		2 16,641,000	0	9,064,800	13,009,300	14,851,100	198,100	2,641,800

(注)　相続税額の2割加算及び控除金額等の計算過程は、次の(3)に記載する。

(3) 相続税額の2割加算及び控除金額の計算（4点）

(単位：円)

加算及び控除の項目	対象者	計算過程	金額
相続税額の2割加算額（対象者2）	養子F	$13,209,250 \times \frac{20}{100} = 2,641,850$	2,641,850
	他人U	$165,115 \times \frac{20}{100} = 33,023$	33,023
	妻　A'	$2,201,541 \times \frac{20}{100} = 440,308$	440,308
贈与税額控除額（暦年課税分）	配偶者乙	$(3,600,000 + 16,000,000 - 1,100,000) \times 50\%$ $- 2,500,000 = 6,750,000$ $6,750,000 \times \frac{16,000,000}{3,600,000 + 16,000,000}$ $= 5,510,204$（円未満切捨）	5,510,204
配偶者の税額軽減額（計算パターン2）	配偶者乙	(1)　$48,648,348 - 5,510,204 = 43,138,144$ (2)①　$486,202,000 \times \frac{1}{2} = 243,101,000 \geqq 160,000,000$　∴ 243,101,000 ②　220,974,000 ③　①＞②　∴ 220,974,000 ④　$107,039,400 \times \frac{220,974,000}{486,202,000} = 48,648,348$ (3)　(1)≦(2)④　∴ 43,138,144	43,138,144

未成年者控除額	養　子　D	100,000×(18歳－※17歳)＝100,000	100,000
		※　平成19年10月8日～令和7年6月16日　∴　17歳	
障害者控除額	子　　　B	100,000×(85歳－※45歳)＝4,000,000	4,000,000
		※　昭和55年6月12日～令和7年6月16日　∴　45歳	
	養　子　D	非居住無制限納税義務者であるため、適用なし	――
贈与税額控除額	養　子　F	(30,000,000－25,000,000)×20％＝1,000,000	1,000,000
(精算課税分)		※　30,000,000＞25,000,000　∴　25,000,000	

【配　点】　[1]×2カ所、[2]×24カ所　　合計50点

解答への道

1　法定相続人の数

被相続人甲には養子が３人（養子Ｄ、養子Ｅ及び養子Ｆ）いるが、養子Ｅは代襲相続権を有するため実子とみなされる者に該当する。したがって、法定相続人の数の算入制限を受けるのは養子Ｄ及び養子Ｆとなる。

2　財産評価

(1)　借地権Ｇ及び建物Ｈ

借地権Ｇは貸家建付借地権、建物Ｈは貸家として評価する。

(2)　宅地Ｉ

宅地Ｉは倍率地域にあるため、固定資産税評価額に倍率を乗じて評価する。

(3)　宅地Ｊ及び建物Ｋ

被相続人甲が居住の用に供していたため、自用地及び自用家屋として評価する。

なお、宅地Ｊは不整形地であるため、その評価にあたっては不整形地補正を行う必要がある。

(4)　Ｌ社株式（上場株式）

課税時期が基準日の翌日以後であるため、「落ち＋権利」の評価をする。

課税時期の最終価格がない場合は、課税時期の前日以前又は翌日以後のうち、課税時期に最も近い日の株価を選択する。月平均額は配当落ちのため、常に月初から月末までの平均額を選択する。

(5)　Ｍ社株式

①　評価方式の判定

株式取得後における配偶者乙の属するグループの議決権割合が50％超であることから、配偶者乙は同族株主に該当し、かつ、単独の議決権割合が５％以上であるため、原則的評価方式により評価する。

一方、他人Ｕは、同族株主でないため、特例的評価方式により評価する。

②　類似業種比準価額

評価会社の比準要素であるⒷ、Ⓒ及びⒹは、次の方法により計算する。

Ⓑ＝評価会社の１株当たりの配当金額

$$\frac{\text{直前期末以前2年間における配当金額の合計額(無配は0円)} \times \frac{1}{2}}{\text{直前期末における発行済株式数（1株当たりの資本金等の額を50円とした場合）}} \left[\begin{array}{l}\text{10銭未満}\\ \text{切　　捨}\end{array}\right]$$

問題7　解答

Ⓒ＝評価会社の１株当たりの利益金額

$$\frac{\text{直前期末以前１年間における利益金額 ※}}{\text{直前期末における発行済株式数（１株当たりの資本金等の額を50円とした場合）}}\left[\begin{array}{l}\text{円未満}\\\text{切　捨}\end{array}\right]$$

※　直前期末以前２年間における利益金額の合計額×$\frac{1}{2}$とすることができる。

Ⓓ＝評価会社の１株当たりの純資産価額（帳簿価額によって計算した金額）

$$\frac{\text{直前期末における資本金等の額及び利益積立金額の合計額 ※}}{\text{直前期末における発行済株式数（１株当たりの資本金等の額を50円とした場合）}}\left[\begin{array}{l}\text{円未満}\\\text{切　捨}\end{array}\right]$$

※　その金額が負数である場合は０とする。

(6)　ゴルフ会員権

取引相場があるため、取引価格に100分の70を乗じて評価する。取引価格には預託金が含まれていないため、預託金の返還可能額を加算する。

(7)　証券投資信託の受益証券

日々決算型の受益証券の評価は、次の算式による。

１口当たりの基準価額 × 口数 ＋ 再投資されていない未収分配金 ×（１－源泉徴収税率）－ 信託財産留保額及び解約手数料（消費税額に相当する額を含む）

なお、本問においては、信託財産留保額及び解約手数料が与えられていないため、計算上考慮する必要はない。

3　小規模宅地等の特例

(1)　借地権Ｇ

被相続人甲が相続開始前３年より前から貸付事業に供していた宅地等（借地権）を、事業承継親族である養子Ｅが取得し、継続要件を満たしているため、貸付事業用宅地等に該当する。

(2)　宅地Ｉ

相続開始日現在空き地のため、特例対象宅地等に該当しない。

(3)　宅地Ｊ

被相続人甲の居住用の宅地を、配偶者乙が取得しているため、特定居住用宅地等に該当する。

4　みなし財産

(1) 生命保険金

子Ｂは取得した保険金の一部を申告期限までに認定特定非営利活動法人に寄附しているため、措置法70条の適用がある。

(2) 生命保険契約に関する権利

被保険者が被相続人甲以外の者であり、被相続人甲が保険料の一部を負担していることから、生命保険契約に関する権利を契約者に対して課税する。

(3) 退職手当金

弔慰金については、弔慰金としての相当額を超える部分の金額が退職手当金として課税の対象になる。本問においては、被相続人甲は業務上の死亡には該当しないため、普通給与の６ヶ月分を超える部分が退職手当金として課税される。

5　債務控除

遺言執行費用は債務控除の対象にならない。また、香典返戻費用も控除の対象にならない。

6　生前贈与加算

令和４年に、子Ｂを受益者とする特定障害者扶養信託契約が締結されている。子Ｂは特別障害者以外の障害者に該当することから、非課税限度額は３千万円となる。

7　相続税額の２割加算

相続税額の２割加算対象者は、一親等の血族、配偶者及び直系卑属で代襲相続人以外の者であるため、養子Ｆ、他人Ｕ及び妻Ａ'が加算対象者に該当する。

なお、養子Ｅは、代襲相続人に該当するため、加算対象者とならない。

8　障害者控除額

養子Ｄは、相続開始時において特別障害者であるが、非居住無制限納税義務者であるため、障害者控除の適用はない。

問題 8　　解　答

※　□で囲まれた数字は配点を示す。

Ⅰ　相続人及び受遺者の相続税の課税価格の計算（36点）

1　遺贈財産価額の計算（22点）			（単位：円）
取得者	財産の種類	計　算　過　程	金　額
配偶者乙	宅　地	(1)　$135,000,000 \times \frac{\overset{*1}{240㎡}}{360㎡} = 90,000,000$ 　＊1　$360㎡ \times \frac{140㎡ \times 2}{420㎡} = 240㎡$ (2)　$135,000,000 \times \frac{\overset{*2}{120㎡}}{360㎡} \times (1 - 60\% \times 30\%)$ 　$= 36,900,000$ 　＊2　$360㎡ \times \frac{140㎡}{420㎡} = 120㎡$ (3)　(1)＋(2)－72,000,000※＝54,900,000	[2]　54,900,000
配偶者乙	家　屋	(1)　$45,000,000 \times 1.0 \times \frac{140㎡ \times 2}{420㎡} = 30,000,000$ (2)　$45,000,000 \times 1.0 \times \frac{140㎡}{420㎡} \times (1 - 30\%)$ 　$= 10,500,000$ (3)　(1)＋(2)＝40,500,000	[2]　40,500,000
配偶者乙	Y社の株式	(1)　評価方式の判定 　$\frac{820個 + 80個}{2,000個} = 45\% \geqq 30\%$ 　$\frac{820個}{2,000個} = 41\% \geqq 25\%$ 　∴　配偶者乙は、同族株主であり、かつ、中心的な同族株主であるため、原則的評価方式。 (2)　類似業種比準価額 $680 \times \left[\frac{\frac{2}{2.2}\overset{*1}{(0.90)} + \frac{78}{26}(3.00) + \frac{870}{230}\overset{*1}{(3.78)}}{3} (2.56) \right]$ $\times 0.5 = 870.4$ 　$870.4 \times \frac{\overset{*2}{50}}{50} = 870$（円未満切捨）[2] 　＊1　小数点以下2位未満切捨 　＊2　100,000,000÷2,000,000株＝50	

		(3) 評価額		
		① $1,156 \times \frac{80}{100}$ ＝924（円未満切捨）2		
		② $870 \times 0.50 + 1,156 \times \frac{80}{100}$（円未満切捨）$\times 0.50 = 897$		
		③ ①＞② ∴ 897×260,000株＝233,220,000		233,220,000
配偶者乙	定期預金	$40,000,000 + 40,000,000 \times 1.50\% \times \frac{146日}{365日} \times (1-20.315\%) = 40,191,244$	2	40,191,244
妹の子I	宅　　地	61,500,000－49,200,000※＝12,300,000	2	12,300,000
妹の子I	家　　屋	21,000,000×1.0－5,000,000＝16,000,000	2	16,000,000
妹の子I	Y社の株式	(1) 評価方式の判定 $\frac{80個}{2,000個} = 4\% < 5\% < 25\%$ ∴ 妹の子Iは、株式取得後の議決権割合が5％未満であり、役員でなく、中心的な同族株主でなく、かつ、他に中心的な同族株主がいるため、特例的評価方式。 (2) 配当還元価額 $\frac{2.5^{*}}{10\%} \times \frac{50}{50} = 25$ ＊ 2＜2.5 ∴ 2.5 (3) 評価額 ① 25 ② 897 ③ ①＜② ∴ 25×50,000株＝1,250,000	2	1,250,000
妹の子I	家庭用財産	5,303,000－600,000＝4,703,000	2	4,703,000
妹の孫J	借 地 権	40,000,000×60％×（1－30％）＝16,800,000	2	16,800,000
妹の孫J	家　　屋	18,000,000×1.0×（1－30％）＝12,600,000		12,600,000
妹の孫J	ゴルフ会員権		2	18,000,000
		※ 小規模宅地等の特例 (1) 特例対象宅地等 乙［特定事業用宅地等］$90,000,000 \div 240㎡ \times \frac{80}{100} \times 400 = 120,000,000$ 乙［貸付事業用宅地等］$36,900,000 \div 120㎡ \times \frac{50}{100} \times 200 = 30,750,000$ I［特定事業用宅地等］$61,500,000 \div 160㎡ \times \frac{80}{100} \times 400 = 123,000,000$		

		J 〔貸付事業用宅地等〕 $16,800,000 \div 100㎡ \times \frac{50}{100} \times 200 = 16,800,000$ (2) 調整による減額金額 I（特定事業用宅地等）160㎡、乙（特定事業用宅地等）240㎡を選択する。 I 〔特定事業用宅地等〕 $61,500,000 \times \frac{160㎡}{160㎡} \times \frac{80}{100} = 49,200,000$ 乙 〔特定事業用宅地等〕 $90,000,000 \times \frac{240㎡}{240㎡} \times \frac{80}{100} = 72,000,000$ 49,200,000＋72,000,000＝121,200,000 (3) 併用による減額金額 I（特定事業用宅地等）160㎡、乙（特定事業用宅地等）240㎡を選択する。 I 〔特定事業用宅地等〕 $61,500,000 \times \frac{160㎡}{160㎡} \times \frac{80}{100} = 49,200,000$ 乙 〔特定事業用宅地等〕 $90,000,000 \times \frac{240㎡}{240㎡} \times \frac{80}{100} = 72,000,000$ 49,200,000＋72,000,000＝121,200,000 (4) (2)＝(3) ∴ 121,200,000	

2 分割財産価額の計算 （単位：円）

取得者	計算過程	金額
配偶者乙	$180,000,000 \times \frac{3}{4} = 135,000,000$	135,000,000
兄 A	$180,000,000 \times \frac{1}{4} \times \frac{1}{5} = 9,000,000$	9,000,000
夫 D	$180,000,000 \times \frac{1}{4} \times \frac{2}{5} = 18,000,000$	18,000,000
妹の子I	$180,000,000 \times \frac{1}{4} \times \frac{2}{5} = 18,000,000$	18,000,000

3 債務控除額の計算（4点） （単位：円）

債務及び葬式費用	負担者	計算過程	金額
債務	配偶者乙	19,533,200＋1,630,000＝21,163,200	2 21,163,200
	妹の子I		10,250,000
葬式費用	配偶者乙		2 4,500,000
	妹の子I	600,000＋200,000＝800,000	800,000
	夫 D		2,000,000

4　相続又は遺贈によるみなし財産価額の計算（8点）			（単位：円）
財産の種類	取得者	計算過程	金額
その他の利益の享受	夫　D		[2] 5,000,000
生命保険金	配偶者乙	$60,000,000\times\frac{2}{3}-10,000,000=30,000,000$	[2] 30,000,000
	夫　D	15,000,000－10,000,000＝5,000,000	5,000,000
	妹の子Ｉ	$20,000,000\times\frac{1}{2}-5,000,000=5,000,000$	5,000,000
	妹の孫Ｊ		10,000,000
同上の非課税金額		(1)　5,000,000×4人＝20,000,000 (2)　30,000,000＋5,000,000＋5,000,000 ＝40,000,000 (3)　(1)＜(2)　∴	
	配偶者乙	$20,000,000\times\frac{30,000,000}{40,000,000}=15,000,000$	△15,000,000
	夫　D	$20,000,000\times\frac{5,000,000}{40,000,000}=2,500,000$	△2,500,000
	妹の子Ｉ	$20,000,000\times\frac{5,000,000}{40,000,000}=2,500,000$	△2,500,000
		（注）妹の孫Ｊは、相続人ではないため適用なし。	
退職手当金等	配偶者乙	48,000,000＋2,000,000＊＝50,000,000 ＊　8,000,000－1,000,000×6月＝2,000,000	[2] 50,000,000
同上の非課税金額	配偶者乙	5,000,000×4人＝20,000,000＜50,000,000 ∴ 20,000,000	△20,000,000
生命保険契約に関する権利	配偶者乙		5,900,000
	夫　D	$2,508,000\times\frac{1}{3}=836,000$	836,000
契約に基づかない定期金に関する権利	配偶者乙	(1)　7,500,000 (2)　1,200,000×7.652＊＝9,182,400 ＊　R7.5.25～R15.3.25　→　7年10月 ∴ 8年 (3)　(1)＜(2)　∴　9,182,400	[2] 9,182,400

5　相続税の課税価格に加算する贈与財産価額の計算			（単位：円）
贈与年分	受贈者	計算過程	加算される贈与財産価額
令和6年	夫　D		3,000,000
令和6年	兄　A		22,500,500
令和7年	妹の子Ｉ		13,000,000

6　各人別の相続税の課税価格の計算（２点）						(単位：円)
区分＼相続人等	配偶者乙	妹の子Ｉ	妹の孫Ｊ	兄　Ａ	夫　Ｄ	
遺贈による取得財産	368,811,244	34,253,000	47,400,000			
分割による取得財産	135,000,000	18,000,000		9,000,000	18,000,000	
みなし取得財産	60,082,400	2,500,000	10,000,000		8,336,000	
債務及び葬式費用	△25,663,200	△11,050,000			△2,000,000	
生前贈与財産の加算額		13,000,000		2 22,500,500	3,000,000	
課税価格（千円未満切捨）	538,230,000	56,703,000	57,400,000	31,500,000	27,336,000	

II　**相続税の総額の計算**（２点）

課税価格の合計額		遺産に係る基礎控除額		課税遺産額
711,169 千円		30,000＋6,000×４人 ＝54,000 千円		657,169 千円
法定相続人	法定相続分	法定相続分に応ずる取得金額		相続税の総額の基となる税額
配偶者乙	$\frac{3}{4}$	492,876 千円		204,438,000 円
兄　Ａ	$\frac{1}{4}\times\frac{1}{5}=\frac{1}{20}$ 2	32,858		4,571,600
夫　Ｄ	$\frac{1}{4}\times\frac{2}{5}=\frac{1}{10}$	65,716		12,714,800
妹の子Ｉ	$\frac{1}{4}\times\frac{2}{5}=\frac{1}{10}$	65,716		12,714,800
合計　４人	1		相続税の総額	(百円未満切捨) 234,439,200 円

Ⅲ　各相続人等の納付すべき相続税額の計算（12点）

1　各人別の納付税額の計算（８点）　（単位：円）

区分＼相続人等		配偶者乙	妹の子Ｉ	妹の孫Ｊ	兄　Ａ	夫　Ｄ	
算出税額		177,429,289	18,692,330	18,922,098	10,384,078	9,011,402	
加算又は減算	相続税額の加算額		3,738,466	3,784,419	2,076,815	1,802,280	
	贈与税額控除額（暦年課税）		――		2 △8,200,000	2 △901,000	
	配偶者の税額軽減額	△175,829,400					
	未成年者控除額			2 ――			
納付税額（百円未満切捨）		2 {1,599,800	22,430,700	22,706,500	4,260,800	9,912,600}	

2　税額控除等の計算（４点）　（単位：円）

控除等の項目	対象者	計算過程	金額
相続税額の加算額（対象者2）	妹の子Ｉ	$18,692,330 \times \frac{20}{100} = 3,738,466$	3,738,466
	妹の孫Ｊ	$18,922,098 \times \frac{20}{100} = 3,784,419$	3,784,419
	兄　Ａ	$10,384,078 \times \frac{20}{100} = 2,076,815$	2,076,815
	夫　Ｄ	$9,011,402 \times \frac{20}{100} = 1,802,280$	1,802,280
贈与税額控除額（暦年課税）	夫　Ｄ	(1)　$(12,000,000 + 3,000,000 - 1,100,000) \times 40\% - 1,900,000 = 3,660,000$ (2)　$(12,000,000 + 3,000,000 - 1,100,000) \times 45\% - 1,750,000 = 4,505,000$ (3)　$(1) \times \frac{12,000,000}{12,000,000 + 3,000,000} = 2,928,000$ (4)　$(2) \times \frac{3,000,000}{12,000,000 + 3,000,000} = 901,000$ (5)①　$2,928,000 \times \frac{0}{12,000,000} = 0$ ②　$901,000 \times \frac{3,000,000}{3,000,000} = 901,000$ ③　①＋②＝901,000	901,000
	兄　Ａ	$(22,500,500 - 1,100,000)^{*} \times 50\% - 2,500,000 = 8,200,000$ ＊　カッコ内千円未満切捨	8,200,000
	妹の子Ｉ	相続開始年分の被相続人からの贈与は、贈与税の非課税。	――

問題8　解答

配偶者の税額軽減額 (計算パターン2)	配偶者乙	(1) 177, 429, 289 (2)① $711,169,000 \times \frac{3}{4} = 533,376,750$ ≧160, 000, 000　∴ 533, 376, 750 ② 538, 230, 000 ③ ①<②　∴ 533, 376, 750 ④ $234,439,200 \times \frac{533,376,750}{711,169,000} = 175,829,400$ (3) (1)>(2)④　∴ 175, 829, 400	175, 829, 400
未成年者控除額	妹の孫J	法定相続人でないため適用なし。	——

【配　点】 2×25カ所　　合計50点

解答への道

1　相続人の判定

第三順位の血族相続人としての兄弟姉妹の範囲は、両親を同じくする兄弟姉妹（妹C及び夫D）の他に片親を同じくする兄弟姉妹（兄A）も含まれる。ただし、片親を同じくする兄弟姉妹（半血兄弟姉妹）の相続分は、両親を同じくする兄弟姉妹（全血兄弟姉妹）の相続分の2分の1である。また、兄弟姉妹の代襲は、1回限りであるため、妹の孫Jは相続人とはならない。

2　財産評価

(1)　配偶者乙が取得した宅地、家屋

ビル及びビルの敷地は、各階の利用状況に応じて評価することとなる。本問では、1階と2階は配偶者乙に対し使用貸借により貸し付けられていたため、自用家屋・自用地として評価し、3階は賃貸借契約により貸し付けられていたため貸家・貸家建付地として評価する。

(2)　配偶者乙が取得した取引相場のない株式

①　評価方式の判定

中心的な同族株主の判定は、同族株主の1人並びにその株主の配偶者、直系血族、兄弟姉妹及び1親等の姻族の議決権割合の合計により判定するため、妹の子Iについての中心的な同族株主の判定に当たって、配偶者乙は含まれないことになる。

②　評　価

イ　類似業種比準価額の計算

次の算式により計算する。

$$A \times \left[\frac{\dfrac{Ⓑ}{B} + \dfrac{Ⓒ}{C} + \dfrac{Ⓓ}{D}}{3} \right] \times \begin{Bmatrix} \text{大会社} & 0.7 \\ \text{中会社} & 0.6 \\ \text{小会社} & 0.5 \end{Bmatrix} \times \frac{\text{1株当たりの資本金等の額}}{\text{50円}}$$

※　A～Ⓓのそれぞれの符号の意味は、次のとおりである。

「A」＝類似業種の株価

「B」＝課税時期の属する年の類似業種の1株当たりの配当金額

「C」＝課税時期の属する年の類似業種の1株当たりの年利益金額

「D」＝課税時期の属する年の類似業種の1株当たりの純資産価額（帳簿価額によって計算した金額）

「Ⓑ」＝評価会社の1株当たりの配当金額

「Ⓒ」＝評価会社の1株当たりの年利益金額

「Ⓓ」＝評価会社の1株当たりの純資産価額（帳簿価額によって計算した金額）

ロ　配当還元価額

配当還元価額を求めるに当たって、評価会社の直前期末以前2年間の年配当金額の平均（1株当たりの資本金等の額を50円とした場合の金額）が2円50銭未満又は無配の場合には、2円50銭を基に計算しなければならない。

(3)　妹の子Ｉが取得した家庭用財産

美術品として所有している仏像は、日常礼拝の用に供されていないため、非課税財産とはならない。

(4)　妹の孫Ｊが取得したゴルフ会員権

取引相場がないゴルフ会員権は、会員となるための条件により評価方法が異なり、株主となることが条件であるものについては株式の評価額で評価する。

3　小規模宅地等の特例

(1)　配偶者乙が取得した宅地

ビルの敷地は、その利用状況の異なるごとに小規模宅地等の特例を考えることとなる。本問では、1階対応部分及び2階対応部分は、相続開始前3年より前から同一生計親族である配偶者乙の事業の用に供されていた宅地に該当し、その同一生計親族が宅地を取得し、継続要件を満たすため、特定事業用宅地等に該当する。寄宿舎等の敷地は、不動産の貸付ではなく当該事業に係る事業用宅地に該当することに注意すること。また、3階部分は、相続開始前3年より前から被相続人の貸付事業の用に供されていた宅地を貸付事業を承継した親族である配偶者乙が取得し、継続要件を満たすため、貸付事業用宅地等に該当する。

(2)　妹の子Ｉが取得した宅地

相続開始前3年より前から被相続人の事業の用に供されていた宅地を事業承継親族である妹の子Ｉが取得し、継続要件を満たすため、特定事業用宅地等に該当する。

(3)　妹の孫Ｊが取得した借地権

相続開始前3年より前から被相続人の貸付事業の用に供されていた宅地等を貸付事業を承継した親族である妹の孫Ｊが取得し、継続要件を満たすため、貸付事業用宅地等に該当する。

4　債務控除

(1)　公租公課のうち、相続人の責めに帰すべき事由により課された附帯税は、債務控除の対象とならないが、被相続人の責めに帰すべき事由により課された附帯税は債務控除の対象となる。本問では、被相続人の責めに帰すべき附帯税で、その金額が本税である贈与税の中に含まれているため、処理なしとなる。

(2)　非課税財産に係る債務は控除できないため、仏壇購入に係る未払金は控除できない。

(3)　連帯債務のうち、債務控除の対象となるのは、原則として、被相続人の負担に属する部分のみである。

(4)　香典返し費用及び初七日法事費用は葬式費用としての控除はできない。

5　みなし財産

(1)　その他の利益の享受

負担付遺贈があった場合において、負担による利益が第三者に帰属するときは、その利益を受ける第三者に対して、その負担額に相当する利益の額がみなし課税される。この場合における財産名は「その他の利益の享受」であり、「債務免除等による利益」ではないことに注意すること。

(2)　生命保険金

①　保険事故発生前に保険料負担者が死亡している場合の保険料の取扱いは、次のとおりである。

イ　保険料負担者死亡時に、保険契約者に生命保険契約に関する権利の課税がなされている場合

⇨　その死亡した者の負担した保険料は、契約者が負担したものとする。

ロ　いわゆる掛捨保険契約である場合（保険料負担者死亡時に、保険契約者に生命保険契約に関する権利の課税がなされていない場合）

⇨　その死亡した者の負担した保険料は、被相続人が負担したものとみなす。

②　取得保険金について、措法70の非課税の適用を受ける贈与をした場合の適用関係は、次のとおりである。なお、「校舎の建築資金」は「設立のため」の贈与とは異なり控除ができることを確認しておくこと。

取得保険金額 × 保険料の負担割合	−	措法70の非課税	−	保険金の非課税

(3)　退職手当金等

弔慰金のうち、形式基準により退職手当金等とみなされて課税される部分は、次のとおりである。

①　業務上の死亡の場合

⇨　被相続人死亡時の賞与以外の普通給与の３年分を超える金額に相当する部分

②　業務上の死亡以外の死亡の場合

⇨　被相続人死亡時の賞与以外の普通給与の半年分を超える金額に相当する部分

(4)　生命保険契約に関する権利

相続税の課税の対象となるのは、被相続人が負担していた保険料に対応する部分である。したがって、被相続人の保険料の負担割合を乗じ忘れないように注意すること。

(5)　契約に基づかない定期金に関する権利

継続受給権を取得した場合の課税関係は、次のとおりである。

① その取得が退職年金に基づくものである場合

⇨ 契約に基づかない定期金に関する権利として課税する。

② その取得が①以外のものである場合

⇨ 保証期間付定期金に関する権利として課税する。

なお、継続受給権を引き続き年金により取得する場合の評価は有期定期金の評価となる。

6 生前贈与加算及び贈与税額控除

(1) 千円未満の金額の贈与も生前贈与加算の適用がある。なお、贈与税額控除額を計算する場合における各年分の贈与税額の計算においては基礎控除後に千円未満切捨を行うこととなる。また、本問では関係ないが、贈与税額控除額のあん分計算をする場合には千円未満切捨をしないことにも注意すること。

(2) 相続開始年分の被相続人からの贈与財産は贈与税の非課税財産となるため、贈与税額控除の適用はない。

(3) 直系尊属からの贈与により財産を取得した場合（受贈者がその贈与を受けた年の1月1日において18歳（令和4年3月31日以前の贈与の場合は20歳）以上である場合に限る）には、特例税率を適用して贈与税額を計算し、その他の場合には一般税率を適用して贈与税額を計算する。

① 贈与により特例贈与財産※1又は一般贈与財産※2のいずれかのみを取得した場合

〔1暦年中に贈与により取得した財産の価額の合計額 － 基礎控除額（1,100千円）〕×税率※3＝その年分の贈与税額

※1 その年1月1日において18歳（令和4年3月31日以前の贈与の場合は20歳）以上の者が直系尊属から受けた贈与により取得した財産

※2 上記1以外の贈与により取得した財産

※3 税率は、取得した財産に応じて、特例贈与財産の場合には特例税率を、一般贈与財産の場合は一般税率を使用する。

② 贈与により特例贈与財産と一般贈与財産の両方を取得した場合

以下の手順により計算する。

イ 〔(A＋B)－基礎控除額（1,100千円)〕×特例税率
ロ 〔(A＋B)－基礎控除額（1,100千円)〕×一般税率
ハ イ×$\frac{A}{A+B}$
ニ ロ×$\frac{B}{A+B}$
ホ ハ＋ニ＝その年分の贈与税額

(注) A：特例贈与財産の価額

B：一般贈与財産の価額

③　贈与税額控除額（１暦年中に特例贈与財産と一般贈与財産の両方を取得した場合）

イ　特例贈与財産に係る贈与税額（②ハの金額）× $\frac{\text{特例贈与財産の価額のうち相続税の課税価格に加算された金額}}{\text{特例贈与財産の価額の合計額}}$

ロ　一般贈与財産に係る贈与税額（②ニの金額）× $\frac{\text{一般贈与財産の価額のうち相続税の課税価格に加算された金額}}{\text{一般贈与財産の価額の合計額}}$

ハ　イ＋ロ

7　相続税額の加算

兄弟姉妹及びその直系卑属は、常に相続税額の加算の適用がある。

8　未成年者控除

妹の孫Ｊは、法定相続人でないため、未成年者控除の適用はない。

問題 9	解答

※　□で囲まれた数字は配点を示す。

I　各相続人等の相続税の課税価格の計算（38点）

(1) 遺贈により取得した財産（16点）　　　　（単位：円）

財産の種類	計　算　過　程	取得者	課税価格に算入される金額
G市の宅地	(270,000×1.00＋240,000×0.99×0.08)×0.99(円未満切捨)×300㎡＝85,835,100 ※ 85,835,100－68,668,080＝17,167,020	乙	[2] 17,167,020
G市の家屋	12,500,000×1.0＝12,500,000	乙	12,500,000
H市の宅地	(165,000×1.00＋115,000×0.99×0.04)×120㎡＝20,346,480	A	[2] 20,346,480
K市の宅地	(195,000×1.00＋200,000×0.97×0.08)×96㎡＝20,209,920 ※ 20,209,920－5,052,480＝15,157,440	A	[2] 15,157,440
K市の家屋	6,500,000×1.0＝6,500,000	A	6,500,000
附属設備等	構造上一体のため評価しない	A	[2] －
門及び塀	$(5,000,000-2,500,000)\times\frac{70}{100}=1,750,000$	A	[2] 1,750,000
J転換社債	$101+100\times0.8\%\times\frac{73日}{365日}\times(1-20.315\%)$ ＝101.127496 $101.127496\times\frac{10,000,000}{100}=10,112,749$(円未満切捨)	A	[2] 10,112,749
その他の財産		A	13,080,851
I社株式	(1) 990　(2) 991　(3) 987　(4) 992 ∴　987×10,000株＝9,870,000	D	[2] { 9,870,000
配当期待権	20×10,000株×(1－20.315%)＝159,370	D	159,370 }
L社株式	(1) 評価方式の判定 $\frac{150個}{600個}=25\%\geqq15\%\geqq5\%$ Dは、同族株主のいない会社の議決権割合が15%以上の株主グループに属し、株式取得後の単独の議決権割合が5%以上であるため、原則的評価方式 (2) 評価額 5,303＜5,500　∴　5,303 5,303×10,000株＝53,030,000	D	[2] 53,030,000

絵　　画		D	1,125,530
	※　小規模宅地等の特例 (1) 特例対象宅地等 乙（特定居住用宅地等）$85,835,100 \div 300㎡ \times \frac{80}{100} \times 330 = 75,534,888$ A（特定居住用宅地等）$20,209,920 \div 96㎡ \times \frac{80}{100} \times 330 = 55,577,280$ (2) 調整による減額金額（併用による減額金額と同額） 乙（特定居住用宅地等）$85,835,100 \times \frac{300㎡}{300㎡} \times \frac{80}{100} = 68,668,080$ A（特定居住用宅地等）$20,209,920 \times \frac{30㎡}{96㎡} \times \frac{80}{100} = 5,052,480$		

(2) 相続又は遺贈によるみなし財産の価額の計算（2点）　　　　（単位：円）

財産の種類	計　　算　　過　　程	取得者	課税価格に算入される金額
退職手当金等		乙	30,000,000
同上の非課税金額	(1) 5,000,000×5人＝25,000,000 (2) 30,000,000 (3) (1)＜(2)　∴　25,000,000	乙	△25,000,000
生命保険金	(1)① 1,500,000×9.471＝14,206,500 ② 12,000,000 ③ ①＞②　∴ 14,206,500 (2)① 1,500,000×25.808※＝38,712,000 ※　59歳10月→59歳（端数切捨）　∴　30.35年 30.35年 →30年（端数切捨）　∴　24.016 ② 12,000,000 ③ ①＞②　∴　38,712,000 (3) (1)＜(2)　∴　38,712,000 $38,712,000 \times \frac{1}{2} = 19,356,000$	A	2　19,356,000
		E	10,000,000
同上の非課税金額	(1) 5,000,000×5人＝25,000,000 (2) 19,356,000 (3) (1)≧(2)　∴　19,356,000	A	△19,356,000
	Eは相続人でないため適用なし	E	－

(3) 債務控除額の計算 （単位：円）

債務及び葬式費用	計　算　過　程	金　額
債　務		5,000,000
葬式費用		3,600,000
合　計		8,600,000

(4) 相続税の課税価格に加算される贈与財産の価額（２点） （単位：円）

贈与年分	受贈者	計　算　過　程	課税価格に加算される金額
令和３年	C	相続開始前３年以内の贈与でないため、適用なし。	2　－
令和４年	A		10,000,000
令和５年	C	20,000,000－10,000,000※＝10,000,000 ※　20,000,000＞10,000,000　∴　10,000,000	10,000,000

(5) 未分割遺産・未分割立木及び未分割債務の計算（16点） （単位：円）

財産の種類	計　算　過　程	金　額
M市の借地権	(150,000×0.99＋120,000×0.99×0.05)×150㎡×50% ＝11,583,000	11,583,000
M市の家屋	3,000,000×1.0＝3,000,000	3,000,000
N市の山林	600,000×6.0＝3,600,000	3,600,000
N市の立木	900,000×1.24×10ha＝11,160,000	2　11,160,000
その他一般動産		237,000
賞　与		2 { 1,500,000
給　与		900,000
生命保険契約に関する権利		1,500,000 }
合　計		33,480,000

① 未分割遺産の価額

33,480,000

② 特別受益額（子Aの満期保険金の持戻しをしていない2）

乙　85,835,100 2 ＋12,500,000 ＝ 98,335,100

A　20,346,480＋20,209,920＋6,500,000＋1,750,000
＋10,112,749＋13,080,851 ＝ 72,000,000

D　9,870,000＋159,370＋53,030,000＋1,125,530 ＝ 64,184,900

C　12,000,000 2 ＋20,000,000 2 ＝ 32,000,000

合　計 266,520,000

③ みなし相続財産の価額

①＋②＝300,000,000

④　各相続人に対する具体的相続分

$$300,000,000\times\begin{cases}(1-\frac{1}{4})\times\frac{1}{2}-98,335,100 & =14,164,900 \quad \text{乙}\\ \frac{1}{4}-72,000,000 & =3,000,000 \quad \text{A}\\ (1-\frac{1}{4})\times\frac{1}{2}\times\frac{1}{3}+(1-\frac{1}{4})\times\frac{1}{2}\times\frac{1}{3}-64,184,900 & =10,815,100 \quad \text{D}\\ (1-\frac{1}{4})\times\frac{1}{2}\times\frac{1}{3}-32,000,000 & =5,500,000 \quad \text{C}\end{cases}$$

合計 33,480,000

⑤　未分割立木の評価減の計算（計算パターン2）

$$11,160,000\times\begin{Bmatrix}\frac{14,164,900}{33,480,000} \quad \text{乙}\\ \frac{3,000,000}{33,480,000} \quad \text{A}\\ \frac{10,815,100}{33,480,000} \quad \text{D}\\ \frac{5,500,000}{33,480,000} \quad \text{C}\end{Bmatrix}\times(1-\frac{85}{100})\begin{cases}=708,245\\ =150,000\\ =540,755\\ =275,000\end{cases}$$

⑥　未分割債務の計算（相続分2）

$$8,600,000\times\begin{cases}(1-\frac{1}{4})\times\frac{1}{2} & =3,225,000 \quad \text{乙}\\ \frac{1}{4} & =2,150,000 \quad \text{A}\\ (1-\frac{1}{4})\times\frac{1}{2}\times\frac{1}{3}+(1-\frac{1}{4})\times\frac{1}{2}\times\frac{1}{3} & =2,150,000 \quad \text{D}\\ (1-\frac{1}{4})\times\frac{1}{2}\times\frac{1}{3} & =1,075,000 \quad \text{C}\end{cases}$$

(6) 各人の課税価格の計算（２点）　　　　(単位：円)

区分＼相続人等	乙	A	D	C	E
遺贈財産	29,667,020	66,947,520	64,184,900		
未分割遺産	14,164,900	3,000,000	10,815,100	5,500,000	
未分割立木の評価減	△ 708,245	△ 150,000	△ 540,755	△ 275,000	
みなし財産	5,000,000	0			10,000,000
未分割債務	△ 3,225,000	△ 2,150,000	△ 2,150,000	△ 1,075,000	
生前贈与加算		10,000,000		2 10,000,000	
課税価格(1,000円未満切捨)	44,898,000	77,647,000	72,309,000	14,150,000	10,000,000

Ⅱ 相続税の総額の計算（２点）

課税価格の合計額		遺産に係る基礎控除額	課税遺産額
千円 219,004		30,000＋6,000×５人　千円 ＝60,000	千円 159,004
法定相続人	法定相続分	法定相続分に応ずる取得金額	相続税の総額の基となる税額
		千円	円
乙	$\frac{1}{2}$	79,502	16,850,600
A	$\frac{1}{2}\times\frac{1}{5}=\frac{1}{10}$	15,900	1,885,000
C	$\frac{1}{2}\times\frac{1}{5}=\frac{1}{10}$	15,900	1,885,000
D	$\frac{1}{2}\times\frac{1}{5}+\frac{1}{2}\times\frac{1}{5}=\frac{1}{5}$	31,800	4,360,000
E	$\frac{1}{2}\times\frac{1}{5}=\frac{1}{10}$	15,900	1,885,000
合計　５人	1		26,865,600　円

(注)　遺産に係る基礎控除額、法定相続人、法定相続分及び法定相続人の数ができて②

Ⅲ 相続人等の納付すべき相続税額の計算（10点）

(1) 各人の納付すべき相続税額の計算（６点）　（単位：円）

区分＼相続人等		乙	A	D	C	E
算出相続税額		5,507,715	9,525,091	8,870,270	1,735,805	1,226,717
加算又は控除	相続税額の加算額					245,343
	贈与税額控除額（暦年課税分）		②△1,770,000		△1,770,000	
	配偶者の税額軽減額	△4,252,660				
	未成年者控除額					② △400,000
納付税額（100円未満切捨）		②{1,255,000	7,755,000	8,870,200	0	1,072,000}

(2) 税額控除等の計算（４点）　　　　　　　　　　　　　　　　　　　　　　　　（単位：円）

税額控除等	対象者	計算過程	金額
相続税額の加算額 （対象者及び計算パターン2）	E	$1,226,717 \times \frac{20}{100}$ ＝245,343	245,343
贈与税額控除額 （暦年課税分）	A	(10,000,000－1,100,000)×30％－900,000 ＝1,770,000	1,770,000
	C	(10,000,000－1,100,000)×30％－900,000 ＝1,770,000	1,770,000
配偶者の税額軽減額 （計算パターン2）	乙	(1) 5,507,715 (2) ① $219,004,000 \times \frac{1}{2}$ ＝109,502,000＜160,000,000 ∴ 160,000,000 ② 14,164,900－708,245 ＝13,456,655＞3,225,000 ∴ 29,667,020＋5,000,000 ＝34,667,000（千円未満切捨） ③ ①＞② ∴ 34,667,000 ④ $26,865,600 \times \frac{34,667,000}{219,004,000}$ ＝4,252,660 (3) (1)＞(2)④ ∴ 4,252,660	4,252,660
未成年者控除額	E	100,000×(18歳－14歳)＝400,000	400,000

【配　点】　2×25カ所　　合計50点

解答への道

1　親族図及び相続分

被相続人甲の非嫡出子Aは認知されているため、相続権を有する。相続分は嫡出子と同じである。

養子Bは同時死亡と推定されるため、被相続人甲と養子Bとは互いに相続に関する課税関係を生じないが、養子Bの死亡は孫Dの代襲の原因となる。

被相続人甲の遺言により、子Aについての指定相続分があるため、子A以外の相続分は指定相続分を除いた残りを法定相続分で分けることとなる。

相続人と法定相続分	法定相続人と法定相続分
乙　$(1-\frac{1}{4})\times\frac{1}{2}=\frac{3}{8}$	乙　$\frac{1}{2}$
A　$\frac{1}{4}$	A　$\frac{1}{2}\times\frac{1}{5}=\frac{1}{10}$
D　$(1-\frac{1}{4})\times\frac{1}{2}\times\frac{1}{3}+$ $(1-\frac{1}{4})\times\frac{1}{2}\times\frac{1}{3}=\frac{1}{4}$	D　$\frac{1}{2}\times\frac{1}{5}+\frac{1}{2}\times\frac{1}{5}=\frac{1}{5}$ C　$\frac{1}{2}\times\frac{1}{5}=\frac{1}{10}$
C　$(1-\frac{1}{4})\times\frac{1}{2}\times\frac{1}{3}=\frac{1}{8}$	E　$\frac{1}{2}\times\frac{1}{5}=\frac{1}{10}$

2　財産評価

(1)　K市宅地

「路線価×奥行価格補正率」の最大となる路線を正面路線とするため195千円の路線が正面路線となる。

(2)　門及び塀

門及び塀の評価は下記の算式により評価する。

$$(\text{再建築価額}-\text{定率法による減価の額})\times\frac{70}{100}$$

(3)　I社株式

課税時期が基準日の翌日以後にあるため、「落ち＋権利」の評価となる。配当落ちのため、月平均額は月初から月末までの平均額を選択する。

(4)　N市立木

総合等級割合が与えられている場合、総合等級割合を用いて評価する。また、山林の地積を乗じ忘れないこと。

(5)　未分割遺産（本来の相続財産）

被相続人が受けるべきであった賞与で被相続人の死亡後に確定した賞与、相続開始時に支給期の到来していない給与、契約者が被相続人である生命保険契約に関する権利は本来の相続財産となる。本問では、いずれも取得者が未確定のため未分割遺産として集計する必要がある。

3　特別受益

(1) 売却は、受贈者の行為による滅失等に該当するため、特別受益を考慮する際、その滅失等を考慮しないものとした場合の相続開始時の価額で持ち戻す。

(2) 満期保険金は、みなし贈与財産に該当するため持ち戻しの対象としない。

(3) 住宅取得等資金の贈与については、住宅取得等資金の非課税の適用を受ける前の金額を持ち戻す。

4　債務控除

債務及び葬式費用の負担者が未確定のため、相続人が相続分で負担したものとして債務控除額を計算する。葬式費用は、配偶者乙が立替払いをしているが、立替払いは負担者未確定に該当する。

5　退職手当金等

被相続人甲の死亡後確定した賞与及び報酬は、みなし財産ではなく本来の相続財産に該当する。

6　生前贈与

令和５年に子Ｃが取得した現金については、住宅取得等資金の非課税の規定の適用を受けるため、非課税金額を控除した後の金額が生前贈与加算額となる。

7　税額控除等

(1) 相続税額の加算

養子Ｄ及び養子Ｅは、いわゆる孫養子に該当するため、代襲しているか否かで相続税額の加算の適用が異なる。養子Ｄは代襲しているため加算の適用がなく、養子Ｅは代襲していないため加算の対象となる。

(2) 配偶者に対する相続税額の軽減

未分割遺産がある場合には、配偶者の税額軽減額の計算上、配偶者の課税価格相当額に注意すること。

(3) 未成年者控除

未成年者控除は、法定相続人に適用がある。養子Ｅは相続を放棄しているが、法定相続人ではあるため未成年者控除の対象者となる。

問題10　解答

※　□で囲まれた数字は配点を示す。

1　相続人等の相続税の課税価格の計算（36点）

(1)　相続又は遺贈により取得した個々の財産（次の(2)に該当するものを除く。）の価額の計算（28点）（単位：円）

財産の種類	計算過程	取得者	課税価格に算入される金額
M区の宅地	（100千円×1.00＋80千円×1.00×0.02＋90千円×1.00×0.03）×240㎡＝25,032,000 (1)　自用地（事業用） $25,032,000\times\dfrac{240㎡\times\dfrac{120㎡\times2}{640㎡}(=90㎡)}{240㎡}$ ＝9,387,000 (2)　貸家建付地 $25,032,000\times\dfrac{240㎡\times\dfrac{120㎡+100㎡\times2}{640㎡}(=120㎡)}{240㎡}$ ×（1－60%×30%）＝10,263,120 (3)　自用地（居住用） $25,032,000\times\dfrac{240㎡\times\dfrac{80㎡}{640㎡}(=30㎡)}{240㎡}$ ＝3,129,000 (4)　(1)＋(2)＋(3)＝22,779,120	配偶者乙	2　22,779,120
M区の家屋	100,000,000×1.0＝100,000,000 (1)　自用家屋 $100,000,000\times\dfrac{120㎡\times2+80㎡}{640㎡}$＝50,000,000 (2)　貸　家 $100,000,000\times\dfrac{120㎡+100㎡\times2}{640㎡}$ ×（1－30%）＝35,000,000 (3)　(1)＋(2)＝85,000,000	配偶者乙	2 ｛ 85,000,000
附属設備等	家屋と構造上一体となっているため、別途評価しない。	配偶者乙	―― ｝

N社の株式	(1) 評価方式の判定 $\frac{1,400個(乙)}{2,000個}=70\%>50\%\geqq 5\%$ ∴ 配偶者乙は、同族株主に該当し、かつ、株式取得後の議決権割合が５％以上であるため、原則的評価方式。 (2) 特定の評価会社の判定 比準要素数１の会社に該当。 (3) 類似業種比準価額 $\overset{*1}{146}\times\frac{\frac{0}{12}+\frac{0}{53}+\frac{\overset{*2}{450}}{500}(0.90)}{3}(0.30)\times 0.7=\overset{*3}{30.6}$ $30.6\times\frac{\overset{*4}{50}}{50}=30$(円未満切捨) [2] ＊1　146、148、151、149、147　∴　146 ＊2　900,000,000÷2,000,000株＝450 ＊3　10銭未満切捨 ＊4　100,000,000÷2,000,000株＝50 (4) 評価額 ① 156 ② 30×0.25＋156×0.75＝124（円未満切捨） ③ ①＞②　∴　124 ∴　124×1,200,000株＝148,800,000	配偶者乙	[2] 148,800,000
定期預金	$10,000,000+(10,000,000\times 0.60\%\times\frac{438日}{365日}-10,000,000\times 0.70\%)\times(1-\overset{*}{20.315}\%)$ ＝10,001,594 ＊　源泉徴収税額円未満切捨	配偶者乙	[2] 10,001,594
動産等		配偶者乙	[2] 6,000,000
O社の株式	(1) 評価方式の判定 $\frac{300個}{300個}=100\%>50\%\geqq 5\%$ ∴ 長男Ｂは、同族株主に該当し、かつ、株式取得後の議決権割合が５％以上であるため、原則的評価方式。 (2) １株当たりの純資産価額 ① 950,000,000−50,000,000＝900,000,000 ② 500,000,000−50,000,000＝450,000,000 ∴ $\frac{①-(①-②)\times 37\%}{30,000株}=24,450$		

	(3) 評価額 ① 24,450 ② 5,200×0.50＋24,450×0.50＝14,825 ③ ①＞② ∴ 14,825 ∴ 14,825×30,000株＝444,750,000	長男B	[2] 444,750,000
利付社債	(1) $98.30+100\times0.5\%\times\frac{73日}{365日}\times(1-20.315\%)=98.379685$ (2) $98.379685\times\frac{5,000,000}{100}=4,918,984$ （円未満切捨）	長男B	[2] 4,918,984
貸付金債権	1,000,000＋15,000＝1,015,000	長男B	[2] 1,015,000
ゴルフ会員権	$2,000,000\times\frac{70}{100}+500,000=1,900,000$	長男B	[2] 1,900,000
別荘及び別荘地		長男B	10,000,000
P市の宅地	300千円×0.95[*1]×0.92[*2]×448㎡＝117,465,600 ＊1 $\frac{448㎡}{16m}=28m<30m$ ∴ 28m → 0.95 ＊2 ① 448㎡＜500㎡ ∴ 地積区分A ② $\frac{600㎡-448㎡}{20m\times30m(=600㎡)}=0.2533\cdots\geqq25\%$ ③ ①、②より0.92	母丁	[2] 117,465,600
P市の家屋	9,000,000×1.0＝9,000,000	母丁	9,000,000
その他の財産	80,000,000× { $\frac{1}{2}$＝40,000,000 $\frac{1}{2}\times\frac{1}{2}$＝20,000,000 $\frac{1}{2}\times\frac{1}{2}$＝20,000,000	配偶者乙 二男C 孫D	[2] { 40,000,000 20,000,000 20,000,000
日本国債	死因贈与	母丁	[2] 9,900,000

小規模宅地等の特例の計算（対象資産及び減額割合[2]）

(1) 特例対象宅地等

乙（特定事業用宅地等）$9,387,000\div90㎡\times\frac{80}{100}\times400=33,376,000$

乙（貸付事業用宅地等）$10,263,120\div120㎡\times\frac{50}{100}\times200=8,552,600$

乙（特定居住用宅地等）$3,129,000\div30㎡\times\frac{80}{100}\times330=27,535,200$

丁（特定居住用宅地等）$117,465,600\div448㎡\times\frac{80}{100}\times330=69,220,800$

⑵　調整による減額金額

丁（特定居住用宅地等）330㎡を選択する。

丁（特定居住用宅地等）$117,465,600\times\frac{330㎡}{448㎡}\times\frac{80}{100}=69,220,800$

⑶　併用による減額金額

丁（特定居住用宅地等）330㎡、乙（特定事業用宅地等）90㎡を選択する。

丁（特定居住用宅地等）$117,465,600\times\frac{330㎡}{448㎡}\times\frac{80}{100}=69,220,800$

乙（特定事業用宅地等）$9,387,000\times\frac{90㎡}{90㎡}\times\frac{80}{100}=7,509,600$

69,220,800＋7,509,600＝76,730,400

⑷　⑵＜⑶　∴　⑶

特　例　適　用　対　象　財　産	取 得 者	課税価格から減額される金額
Ｐ市の宅地	母　　丁	69,220,800
Ｍ区の宅地	配偶者乙	7,509,600

⑵　相続又は遺贈によるみなし取得財産の価額の計算（６点）　　（単位：円）

財産の種類	計　　算　　過　　程	取 得 者	課税価格に算入される金額
生命保険金等	⑴　18,000,000 ⑵　19,000,000 ⑶　2,000,000×9.471＝18,942,000 ∴　19,000,000 19,000,000＋5,000,000＝24,000,000	配偶者乙	2　24,000,000
	⑴　30,000,000 ⑵　1,000,000×32.163*＝32,163,000 ＊　複利年金現価率の判定 ①　課税時期における受取人の年齢 S56．7．8～R7．6．28　→ 43歳（１年未満切捨） ②　受取人の年齢に応ずる平均余命年数 39年（１年未満切捨） ③　①及び②より32.163 ∴　$32,163,000\times\frac{1}{2}=16,081,500$	長 男 B	2　16,081,500
		二 男 C	36,000,000
	25,000,000－5,000,000＝20,000,000	孫　　D	20,000,000
非課税金額	⑴　5,000,000×４人＝20,000,000 ⑵　24,000,000＋36,000,000＋20,000,000 ＝80,000,000		

	(3) (1)＜(2) ∴		
	20,000,000× { $\frac{24,000,000}{80,000,000}$ ＝6,000,000	配偶者乙	△6,000,000
	$\frac{36,000,000}{80,000,000}$ ＝9,000,000	二 男 C	△9,000,000
	$\frac{20,000,000}{80,000,000}$ ＝5,000,000	孫 D	△5,000,000
	長男Bは、相続人でないため、適用なし。		
退職手当金等	36,000,000× $\frac{1}{3}$ ＝12,000,000	配偶者乙	12,000,000
		長 男 B	12,000,000
		二 男 C	12,000,000
非課税金額	(1) 5,000,000×４人＝20,000,000		
	(2) 12,000,000＋12,000,000＝24,000,000		
	(3) (1)＜(2) ∴		
	20,000,000× { $\frac{12,000,000}{24,000,000}$ ＝10,000,000	配偶者乙	2 △10,000,000
	$\frac{12,000,000}{24,000,000}$ ＝10,000,000	二 男 C	△10,000,000
	長男Bは、相続人でないため、適用なし。		

(3) 課税価格から控除すべき債務及び葬式費用の額の計算　(単位：円)

債務及び葬式費用	計 算 過 程	負 担 者	金 額
債 務	15,000,000＋200,000＋800,000＝16,000,000	配偶者乙	16,000,000
葬 式 費 用	4,500,000＋500,000＝5,000,000	配偶者乙	5,000,000

(4) 課税価格に加算する贈与財産（暦年贈与財産）の価額の計算（２点）　(単位：円)

贈与年分	受 贈 者	計 算 過 程	加算される贈与財産価額
令和４年	配 偶 者 乙		2 3,000,000
令和５年	孫 D		3,178,000
令和６年	孫 E	孫Eは、相続又は遺贈により財産を取得していないため、適用なし。	——

(5) 相続人等の課税価格の計算　(単位：円)

区分＼相続人等	配 偶 者 乙	長 男 B	母 丁	二 男 C	孫 D	合 計
① 純資産価額	312,870,228	531,992,880	91,605,024	52,000,000	35,000,000	1,023,468,132
② 生前贈与加算（暦年課税分）	3,000,000				3,178,000	
③ 課税価格（千円未満切捨）	315,870,000	531,992,000	91,605,000	52,000,000	38,178,000	1,029,645,000

2　納付すべき相続税額の計算（14点）

⑴　相続税の総額の計算（２点）

課税価格の合計額			遺産に係る基礎控除額	課税遺産額
千円 1,029,645			30,000＋6,000×４人　千円 ＝54,000	千円 975,645
法定相続人		法定相続分（分数）	法定相続分に応ずる取得金額	相続税の総額の基となる税額
配偶者乙		$\frac{1}{2}$	千円 487,822	円 201,911,000
長男　B		$\frac{1}{6}$	162,607	48,042,800
二男　C		$\frac{1}{6}$	162,607	48,042,800
孫　　D		$\frac{1}{6}$	162,607	48,042,800
合計	４人	1		（百円未満切捨） 2 346,039,400　円

⑵　相続人等の納付すべき相続税額の計算（12点）　（単位：円）

区分＼相続人等		配偶者乙	長男Ｂ	母　丁	二男Ｃ	孫　Ｄ	
算出税額		106,156,457	178,789,964	30,786,279	17,475,973	12,830,725	
加算又は減算	贈与税額控除額（暦年課税）	2 △410,000				△253,785	
	配偶者の税額軽減額	2 △105,746,457					
	未成年者控除額					2 △100,000	
	相次相続控除額	──	──	──	2 △121,938	△82,073	
	外国税額控除額		2 △3,200,000				
納付税額（百円未満切捨）		2 ｛　0	175,589,900	30,786,200	17,354,000	12,394,800｝	

⑶　相続税額の２割加算金額及び控除金額の計算　（単位：円）

加算及び控除の項目	対象者	計算過程	金額
相続税額の加算額		対象者なし。	
贈与税額控除額	配偶者乙	(1,000,000＋3,000,000＋2,000,000－1,100,000)×30％－650,000＝820,000 $820,000\times\frac{3,000,000}{1,000,000+3,000,000+2,000,000}$ ＝410,000	410,000
	孫　D	(3,178,000＋600,000－1,100,000)×15％－100,000＝301,700 $301,700\times\frac{3,178,000}{3,178,000+600,000}=253,785$	253,785

問題10 解答

配偶者の税額軽減額	配偶者乙	⑴　106,156,457－410,000＝105,746,457 ⑵①　$1,029,645,000\times\frac{1}{2}$＝514,822,500 ≧160,000,000　∴　514,822,500 ②　315,870,000（千円未満切捨） ③　①＞②　∴　315,870,000 ④　$346,039,400\times\frac{315,870,000}{1,029,645,000}$＝106,156,457 ⑶　⑴≦⑵④　∴　105,746,457	105,746,457
未成年者控除額	孫　D	100,000×(18歳－17歳*)＝100,000 ＊　H20.3.8～R7.6.28 → 17歳3月 ∴　17歳	100,000
相次相続控除額		⑴　控除総額 $6,000,000\times\frac{1,023,468,132}{36,000,000-6,000,000}$ $\left[>\frac{100}{100}\therefore\frac{100}{100}\right]\times\frac{10-6^{*}}{10}$＝2,400,000 ＊　H30.10.4～R7.6.28 → 6年8月 ∴　6年 ⑵　各人の控除額	
	配偶者乙	既に算出税額が0のため、控除しない。	——
	二男C	$2,400,000\times\frac{52,000,000}{1,023,468,132}$＝121,938	121,938
	孫　D	$2,400,000\times\frac{35,000,000}{1,023,468,132}$＝82,073	82,073
		長男B及び母丁は、相続人でないため、適用なし。	
外国税額控除額	長男B	⑴　3,200,000 ⑵　$178,789,964\times\frac{10,000,000}{531,992,880}$＝3,360,758 ⑶　⑴≦⑵　∴　3,200,000	3,200,000

【配　点】 2×25カ所　　合計50点

解答への道

1　宅地及び家屋

(1)　M区の宅地及び家屋

M区の家屋は、各階の床面積が均等ではないため、資料に示された床面積に応じて自用家屋及び貸家の評価をする。また、宅地についても、上記の床面積により求めた地積に応じて自用地及び貸家建付地の評価をする。

なお、ビル及びその敷地の課税価格算入額を答案用紙の「課税価格に算入される金額」欄に記入するに当たっては、自用部分と貸付部分とに分けて記入しないこと。あくまで一つの財産としての評価額を解答しなければならない。

(2)　附属設備等

家屋と構造上一体となっている附属設備等は別途評価しない。

(3)　P市の宅地

母丁が取得した不整形地は、不整形地の地積を間口距離で除して算出した計算上の奥行距離を基として求めた整形地により評価するため、次により評価をする。

路線価 × 次の①及び②のいずれか短い方の奥行距離による奥行価格補正率 × 不整形地補正率 × 地積

① $\dfrac{\text{地　　積}}{\text{間口距離}}$ ＝ 計算上の奥行距離

②　想定整形地の奥行距離

なお、不整形地補正率は、次のイ及びロにより求める。

イ　評価する不整形地の地区及び地積を「地積区分表」に当てはめ、「A」「B」「C」のいずれの「地積区分」に該当するかを判定する。

ロ　評価する不整形地の「想定整形地」の地積を算出し、次により「かげ地割合」を求める。

$$\text{かげ地割合} = \frac{\text{想定整形地の地積} - \text{評価する不整形地の地積}}{\text{想定整形地の地積}}$$

2　取引相場のない株式

(1)　N社の株式

①　特定の評価会社の判定

N社の比準要素のうち直前期末を基準とした場合には比重要素のうち2つ（配当及び利益）が0となり、直前々期末を基準とした場合にも、比準要素のうち2つ（配当及び利益）が0となるため、比準要素数1の会社に該当する。

なお、比準要素数1の会社を原則的評価方式により評価する場合には、次のいずれか低い価額で評価する。

イ　１株当たりの純資産価額
ロ　類似業種比準価額 × 0.25 ＋ １株当たりの純資産価額 × 0.75

② 類似業種比準価額

類似業種比準価額は次の算式により計算するが、算式中の端数処理に注意すること。

$$A \times \left[\frac{\frac{Ⓑ}{B}\left(\text{小数2位未満切捨}\right) + \frac{Ⓒ}{C}\left(\text{小数2位未満切捨}\right) + \frac{Ⓓ}{D}\left(\text{小数2位未満切捨}\right)}{3} \left(\text{小数2位未満切捨}\right) \right]$$

$$\times \begin{Bmatrix} \text{大会社}\ 0.7 \\ \text{中会社}\ 0.6 \\ \text{小会社}\ 0.5 \end{Bmatrix} = \boxed{\quad\text{円}\ 0\text{銭}} \text{（10銭未満切捨）}$$

$$\boxed{\quad\text{円}\ 0\text{銭}} \times \frac{\text{1株当たりの資本金等の額}}{\text{50円}} = \boxed{\quad\text{円}} \text{（円未満切捨）}$$

※ 符号の意味

A～Ⓓのそれぞれの符号の意味は、次のとおりである。

「A」＝類似業種の株価

次に掲げる金額のうち最も低い金額

① 課税時期の属する月の類似業種の株価

② 課税時期の属する月の前月の類似業種の株価

③ 課税時期の属する月の前々月の類似業種の株価

④ 課税時期の前年平均株価

⑤ 課税時期の属する月以前２年間の平均株価

「B」＝課税時期の属する年の類似業種の１株当たりの配当金額

「C」＝課税時期の属する年の類似業種の１株当たりの年利益金額

「D」＝課税時期の属する年の類似業種の１株当たりの純資産価額（帳簿価額による金額）

「Ⓑ」＝評価会社の１株当たりの配当金額

「Ⓒ」＝評価会社の１株当たりの利益金額

「Ⓓ」＝評価会社の１株当たりの純資産価額（帳簿価額による金額）

(2) Ｏ社の株式

① 特定の評価会社の判定

Ｏ社の資産の価額（相続税評価額）のうち、株式等の価額（相続税評価額）の占める割合は50％未満であるため、株式等保有特定会社には該当しない。

② 1株当たりの純資産価額

1株当たりの純資産価額は次の算式により計算する。

$$\frac{\text{A}-(\text{A}-\text{B})\times 37\%}{\text{課税時期における発行済株式数}}=\text{1株当たりの純資産価額（円未満切捨）}$$

※ 符号の意味

「A」＝課税時期における相続税評価額による純資産価額

〔課税時期における相続税評価額による総資産価額 － 課税時期における負債の金額の合計額〕

「B」＝課税時期における帳簿価額による純資産価額

〔課税時期における帳簿価額による総資産価額 － 課税時期における負債の金額の合計額〕

3 金融商品等

(1) 定期預金

定期預金は次の算式により評価する。

預入高 ＋ 課税時期において解約するとした場合の既経過利子の額 ×（1－20.315%）

なお、預入日数が1年を超える場合において、中間利払があったときは、課税時期において解約するとした場合の既経過利子の額は次の算式により計算する。

$$\text{預入高}\times\text{解約利率}\times\frac{\text{預入日から課税時期の前日までの日数}}{365\text{日}}-\text{預入高}\times\text{中間利払利率}$$

(2) 利付社債

市場価格のある利付公社債（券面額100円当たり）は次の算式により評価する。

課税時期の市場価格 ＋ 既経過利息の額 ×（1－20.315%）

(3) 貸付金債権

貸付金債権を評価する場合には、元本の価額に既経過利息の額を加算して評価するが、既経過利息の額から源泉徴収税額を控除しないことに注意すること。

(4) ゴルフ会員権

通常の取引価格に含まれない預託金の額がある場合には、通常の取引価格に70%を乗じた金額に、預託金の返還可能額を加算する。

(5) 動産等

銀行の貸金庫に保管してある純金の仏像は、相続税の非課税財産には該当しない。

4　小規模宅地等の特例

⑴　M区の宅地

①　1階及び2階対応部分

1階及び2階に対応する部分は、相続開始前3年より前から同一生計親族の事業の用に供されていた宅地に該当し、事業を行っている同一生計親族本人である配偶者乙が取得し、相続税の申告期限においても利用状況に変更がないため、特定事業用宅地等に該当する。

②　3階、4階及び5階対応部分

3階、4階及び5階に対応する部分は、相続開始前3年より前から被相続人の貸付事業の用に供されていた宅地に該当し、事業を承継した親族である配偶者乙が取得し、相続税の申告期限においても利用状況に変更がないため、貸付事業用宅地等に該当する。

③　6階対応部分

6階に対応する部分は、被相続人甲の居住用宅地に該当し、配偶者乙が取得しているため、無条件に特定居住用宅地等に該当する。

⑵　P市の宅地

母丁が取得した宅地は、同一生計親族の居住用宅地に該当し、相続開始後同一生計親族本人である母丁が取得し、引き続き自らの居住の用に供しているため、特定居住用宅地等に該当する。

5　死因贈与財産

死因贈与により取得した財産の取扱い（相続開始時の価額で遺贈財産として課税価格に算入する。）を間違えないこと。

6　生命保険金

⑴　生命保険契約に関する権利と異なり、死亡保険金の場合には、掛捨保険契約であっても、被相続人が保険料を負担していれば、相続税の課税関係が生ずることに注意すること。

⑵　契約者貸付金等がある場合の取得保険金の額の取扱いは、次による。

課税対象者		課税対象となる保険金の額
保険金受取人		契約上の保険金額－契約者貸付金等の額
保険契約者	被相続人≠保険契約者	契約者貸付金等の額に相当する保険金額
	被相続人＝保険契約者	課税関係は生じない

(3) 定期金により支払を受ける場合

定期金により支払を受ける場合には、給付形態の別により、次のとおり評価する。

① 有期定期金

次に掲げる金額のうちいずれか多い金額
イ　解約返戻金の金額
ロ　定期金に代えて一時金の給付を受けることができる場合には一時金の金額
ハ　給付を受けるべき金額の1年当たりの平均額 × 残存期間に応ずる予定利率による複利年金現価率

② 終身定期金

次に掲げる金額のうちいずれか多い金額
イ　解約返戻金の金額
ロ　定期金に代えて一時金の給付を受けることができる場合には一時金の金額
ハ　給付を受けるべき金額の1年当たりの平均額 × 目的とされた者の余命年数に応ずる予定利率による複利年金現価率

なお、評価に際して、上記イまたはロのいずれかがない場合には、他の金額により評価する。

7　相次相続控除

(1) 相次相続控除の適用要件は、次のとおりである。

① 第1次相続開始時から第2次相続開始時までの年数（1年未満切捨）が10年以内であること。

② 第2次相続の被相続人が、第1次相続の際に相続人であること。

(2) 相次相続控除の適用対象者は、相続人である。

(3) 控除額の算式中のいわゆるB、C及びDについては、債務控除後の純資産価額であり、千円未満切捨の端数処理を行わないことに注意すること。

8　外国税額控除

外国税額控除額は次の算式により計算する。

(1) その地の法令に基づいて課された相続税相当額
(2) 控除限度額
$\text{相次相続控除まで適用後の算出相続税額} \times \dfrac{\text{分母のうち法施行地外にある財産の価額} - \text{その財産に係る債務の金額}}{\text{純資産価額} + \text{相続開始の年分の被相続人からの暦年課税贈与財産の価額}}$
(3) 控除額
(1)、(2)いずれか少ない金額

問題10 解答

税理士受験シリーズ

2025年度版　21　相続税法　総合計算問題集　基礎編

（平成20年度版　2007年10月1日　初版 第1刷発行）

2024年9月4日　初　版　第1刷発行

編著者　TAC株式会社（税理士講座）
発行者　多田敏男
発行所　TAC株式会社　出版事業部（TAC出版）
〒101-8383
東京都千代田区神田三崎町3-2-18
電話 03（5276）9492（営業）
FAX 03（5276）9674
https://shuppan.tac-school.co.jp
印　刷　株式会社　ワコー
製　本　株式会社　常川製本

ISBN 978-4-300-11321-9
N.D.C. 336

乱丁・落丁による交換、および正誤のお問合せ対応は、該当書籍の改訂版刊行月末日までといたします。なお、交換につきましては、書籍の在庫状況等により、お受けできない場合もございます。
また、各種本試験の実施の延期、中止を理由とした本書の返品はお受けいたしません。返金もいたしかねますので、あらかじめご了承くださいますようお願い申し上げます。

「税理士」の扉を開くカギ

それは、合格できる教育機関を決めること!

あなたが教育機関を決める最大の決め手は何ですか?
通いやすさ、受講料、評判、規模、いろいろと検討事項はありますが、一番の決め手となること、それは「合格できるか」です。
TACは、税理士講座開講以来今日までの40年以上、「受講生を合格に導く」ことを常に考え続けてきました。そして、「最小の努力で最大の効果を発揮する、良質なコンテンツの提供」をもって多数の合格者を輩出し、今も厚い信頼と支持をいただいております。

令和5年度 税理士試験
TAC 合格祝賀パーティー

東京会場　ホテルニューオータニ

合格者から「喜びの声」を多数お寄せいただいています。

https://www.tac-school.co.jp/kouza_zeiri/zeiri_jisseki.html

税理士講座のご案内

2025年合格目標コース

反復学習でインプット強化! & 豊富な演習量で実践力強化!

対象者：初学者／次の科目の学習に進む方

2024年 9月 10月 11月 12月 / 2025年 1月 2月 3月 4月 5月 6月 7月 8月（税理士試験）

9月入学 基礎マスター＋上級コース（簿記・財表・相続・消費・酒税・固定・事業・国徴）
3回転学習！年内はインプットを強化、年明けは演習機会を増やして実践力を鍛える！
※簿記・財表は5月・7月・8月・10月入学コースもご用意しています。

9月入学 ベーシックコース（法人・所得）
2回転学習！週2ペース、8ヵ月かけてインプットを鍛える！

9月入学 年内完結＋上級コース（法人・所得）
3回転学習！年内はインプットを強化、年明けは演習機会を増やして実践力を鍛える！

12月・1月入学　速修コース（全11科目）
7ヵ月～8ヵ月間で合格レベルまで仕上げる！

3月入学　速修コース（消費・酒税・固定・国徴）
短期集中で税法合格を目指す！

税理士試験

対象者：受験経験者（受験した科目を再度学習する場合）

2024年 9月 10月 11月 12月 / 2025年 1月 2月 3月 4月 5月 6月 7月 8月（税理士試験）

9月入学　年内上級講義＋上級コース（簿記・財表）
年内に基礎・応用項目の再確認を行い、実力を引き上げる！

9月入学　年内上級演習＋上級コース（法人・所得・相続・消費）
年内から問題演習に取り組み、本試験時の実力維持・向上を図る！

12月入学　上級コース（全10科目）
※住民税の開講はございません
講義と演習を交互に実施し、答案作成力を養成！

税理士試験

※2024年7月12日時点の情報です。最新の情報は、TAC税理士講座ホームページをご確認ください。

料請求は
ちらから!!

詳しい資料をお送りいたします。
右記電話番号もしくはTACホームページ
(https://www.tac-school.co.jp/)にてご請求ください。

通話無料 **0120-509-117**（ゴウカク イイナ）
受付時間 10:00～19:00(月～金) 10:00～17:00(土・日・祝)
※営業時間短縮の場合がございます。詳細はHPでご確認ください。

全国公開模試

6月中旬実施!

全11科目実施

TACの模試はここがスゴイ!

1 信頼の母集団

2023年の受験者数は、会場受験・自宅受験合わせて10,316名!この大きな母集団を分母とした正確な成績(順位)を把握できます。

信頼できる実力判定

※11科目延べ人数

2 本試験を擬似体験

全国の会場で緊迫した雰囲気の中「真の実力」が発揮できるかチャレンジ!

3 個人成績表

現時点での全国順位を確認するとともに「講評」等を通じて本試験までの学習の方向性が定まります。

4 充実のアフターフォロー

解説Web講義を無料配信。また、質問電話による疑問点の解消も可能です。

※TACの受講生はカリキュラム内に全国公開模試の受験料が含まれています(一部期別申込を除く)。

直前オプション講座

6月中旬～8月上旬実施!

最後まで油断しない!
ここからのプラス5点!

【重要理論確認ゼミ】
～理論問題の解答作成力UP!～

【ファイナルチェック】
～確実な5点UPを目指す!～

【最終アシストゼミ】
～本試験直前の総仕上げ!～

全国公開模試および直前オプション講座の詳細は4月中旬発刊予定の
「全国公開模試パンフレット」「直前オプション講座パンフレット」をご覧ください。

TAC出版 書籍のご案内

TAC出版では、資格の学校TAC各講座の定評ある執筆陣による資格試験の参考書をはじめ、資格取得者の開業法や仕事術、実務書、ビジネス書、一般書などを発行しています！

TAC出版の書籍

＊一部書籍は、早稲田経営出版のブランドにて刊行しております。

資格・検定試験の受験対策書籍

- 日商簿記検定
- 建設業経理士
- 全経簿記上級
- 税　理　士
- 公認会計士
- 社会保険労務士
- 中小企業診断士
- 証券アナリスト
- ファイナンシャルプランナー(FP)
- 証券外務員
- 貸金業務取扱主任者
- 不動産鑑定士
- 宅地建物取引士
- 賃貸不動産経営管理士
- マンション管理士
- 管理業務主任者
- 司法書士
- 行政書士
- 司法試験
- 弁理士
- 公務員試験(大卒程度・高卒者)
- 情報処理試験
- 介護福祉士
- ケアマネジャー
- 電験三種　ほか

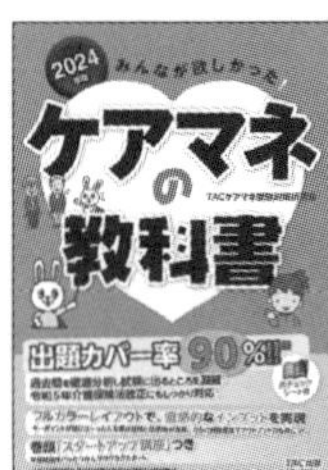

実務書・ビジネス書

- 会計実務、税法、税務、経理
- 総務、労務、人事
- ビジネススキル、マナー、就職、自己啓発
- 資格取得者の開業法、仕事術、営業術

一般書・エンタメ書

- ファッション
- エッセイ、レシピ
- スポーツ
- 旅行ガイド（おとな旅プレミアム/旅コン）

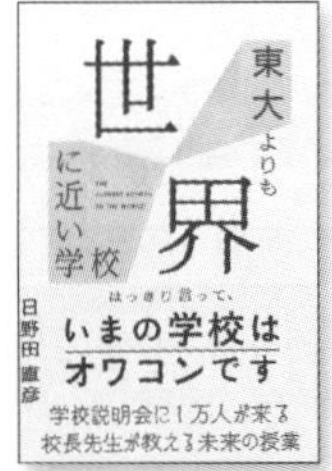

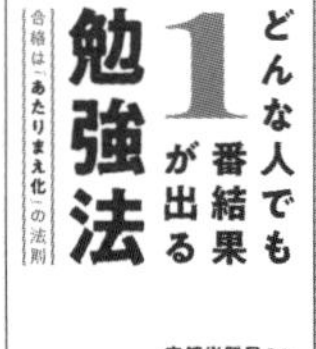

(2024年2月現在)

書籍のご購入は

1 全国の書店、大学生協、ネット書店で

2 TAC各校の書籍コーナーで

資格の学校TACの校舎は全国に展開!
校舎のご確認はホームページにて

資格の学校TAC ホームページ
https://www.tac-school.co.jp

3 TAC出版書籍販売サイトで

CYBER BOOK STORE TAC出版書籍販売サイト

TAC 出版 で 検索

24時間ご注文受付中

https://bookstore.tac-school.co.jp/

新刊情報をいち早くチェック!

たっぷり読める立ち読み機能

学習お役立ちの特設ページも充実!

TAC出版書籍販売サイト「サイバーブックストア」では、TAC出版および早稲田経営出版から刊行されている、すべての最新書籍をお取り扱いしています。
また、会員登録(無料)をしていただくことで、会員様限定キャンペーンのほか、送料無料サービス、メールマガジン配信サービス、マイページのご利用など、うれしい特典がたくさん受けられます。

サイバーブックストア会員は、特典がいっぱい!(一部抜粋)

通常、1万円(税込)未満のご注文につきましては、送料・手数料として500円(全国一律・税込)頂戴しておりますが、1冊から無料となります。

専用の「マイページ」は、「購入履歴・配送状況の確認」のほか、「ほしいものリスト」や「マイフォルダ」など、便利な機能が満載です。

メールマガジンでは、キャンペーンやおすすめ書籍、新刊情報のほか、「電子ブック版TACNEWS(ダイジェスト版)」をお届けします。

書籍の発売を、販売開始当日にメールにてお知らせします。これなら買い忘れの心配もありません。

書籍の正誤に関するご確認とお問合せについて

書籍の記載内容に誤りではないかと思われる箇所がございましたら、以下の手順にてご確認とお問合せをしてくださいますよう、お願い申し上げます。

なお、正誤のお問合せ以外の**書籍内容に関する解説および受験指導などは、一切行っておりません。**
そのようなお問合せにつきましては、お答えいたしかねますので、あらかじめご了承ください。

1 「Cyber Book Store」にて正誤表を確認する

TAC出版書籍販売サイト「Cyber Book Store」の
トップページ内「正誤表」コーナーにて、正誤表をご確認ください。

CYBER BOOK STORE TAC出版書籍販売サイト

URL:https://bookstore.tac-school.co.jp/

2 1の正誤表がない、あるいは正誤表に該当箇所の記載がない ⇒ 下記①、②のどちらかの方法で文書にて問合せをする

★ご注意ください★

お電話でのお問合せは、お受けいたしません。
①、②のどちらの方法でも、お問合せの際には、「お名前」とともに、
「対象の書籍名(○級・第○回対策も含む)およびその版数(第○版・○○年度版など)」
「お問合せ該当箇所の頁数と行数」
「誤りと思われる記載」
「正しいとお考えになる記載とその根拠」
を明記してください。
なお、回答までに1週間前後を要する場合もございます。あらかじめご了承ください。

① ウェブページ「Cyber Book Store」内の「お問合せフォーム」より問合せをする

【お問合せフォームアドレス】

https://bookstore.tac-school.co.jp/inquiry/

② メールにより問合せをする

【メール宛先 TAC出版】

syuppan-h@tac-school.co.jp

※土日祝日はお問合せ対応をおこなっておりません。
※正誤のお問合せ対応は、該当書籍の改訂版刊行月末日までといたします。

乱丁・落丁による交換は、該当書籍の改訂版刊行月末日までといたします。なお、書籍の在庫状況等により、お受けできない場合もございます。
また、各種本試験の実施の延期、中止を理由とした本書の返品はお受けいたしません。返金もいたしかねますので、あらかじめご了承くださいますようお願い申し上げます。

TACにおける個人情報の取り扱いについて
■お預かりした個人情報は、TAC(株)で管理させていただき、お問合せへの対応、当社の記録保管にのみ利用いたします。お客様の同意なしに業務委託先以外の第三者に開示、提供することはございません(法令等により開示を求められた場合を除く)。その他、個人情報保護管理者、お預かりした個人情報の開示等及びTAC(株)への個人情報の提供の任意性については、当社ホームページ(https://www.tac-school.co.jp)をご覧いただくか、個人情報に関するお問い合わせ窓口(E-mail:privacy@tac-school.co.jp)までお問合せください。

(2022年7月現在)

答案用紙の使い方

この冊子には、答案用紙がとじ込まれています。下記を参照にご利用ください。

一番外側の色紙（本紙）を残して、答案用紙の冊子を取り外してください。

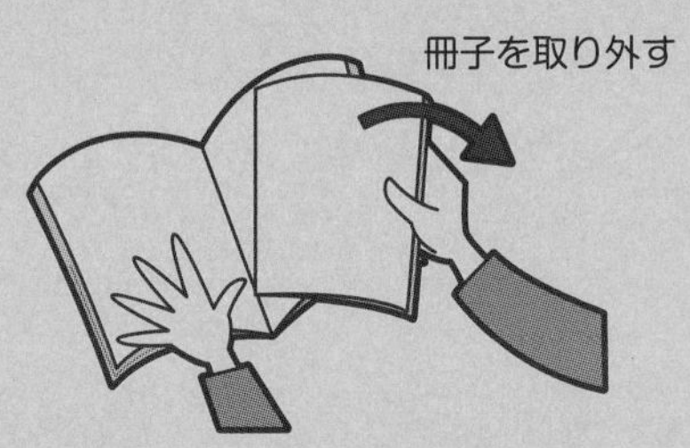

STEP2

取り外した冊子の真ん中にあるホチキスの針は取り外さず、冊子のままご利用ください。

- 作業中のケガには十分お気をつけください。
- 取り外しの際の損傷についてのお取り替えはご遠慮願います。

答案用紙はダウンロードもご利用いただけます。
TAC出版書籍販売サイト、サイバーブックストアにアクセスしてください。

TAC出版　検索

税理士受験シリーズ㉑
相続税法　総合計算問題集　基礎編

別冊答案用紙

目　次

問題１	＜答案用紙＞	解答時間	／50分	自己採点	／50点

１ 相続人等の相続税の課税価格の計算

(1) 相続又は遺贈により取得した個々の財産（次の(2)に該当するものを除く。）の価額の計算 （単位：円）

財産の種類	計算過程	取得者	課税価格に算入される金額
宅 地 H			
建 物 I			
宅 地 J			
建 物 K			
宅 地 L			
宅 地 M			

O社の株式			
P社の株式			
貸付金債権			
定 期 預 金			

普 通 預 金			
家庭用財産			
その他の流動資産			

(2) 相続又は遺贈によるみなし取得財産の価額の計算　（単位：円）

財産の種類	計　　算　　過　　程	取 得 者	課税価格に算入される金額

(3) 小規模宅地等の特例の計算　　(単位：円)

特例適用対象財産	取得者	課税価格から減額される金額

(4) 課税価格から控除すべき債務及び葬式費用　　(単位：円)

債務及び葬式費用	負担者	計算過程	金額

(5) 課税価格に加算する贈与財産（暦年課税分）価額の計算　　　　　　　　　　　　　　　　　　（単位：円）

贈与年分	受贈者	計　　算　　過　　程	加算される贈与財産価額

(6) 相続人等の課税価格の計算　　　　　　　　　　　　　　　　　　　　　　　　　　　　　　　（単位：円）

相続人等 区分							
相続又は遺贈による取得財産							
みなし取得財産							
債務及び葬式費用							
生前贈与加算（暦年課税分）							
課税価格（1,000円未満切捨）							

2　納付すべき相続税額の計算

(1) 相続税の総額の計算

<table>
<tr><td colspan="2">課税価格の合計額</td><td>遺産に係る基礎控除額</td><td>課税遺産額</td></tr>
<tr><td colspan="2">千円</td><td>千円</td><td>千円</td></tr>
<tr><td>法定相続人</td><td>法定相続分(分数)</td><td>法定相続分に応ずる取得金額</td><td>相続税の総額の基となる税額</td></tr>
<tr><td></td><td></td><td>千円</td><td>円</td></tr>
<tr><td></td><td></td><td></td><td></td></tr>
<tr><td></td><td></td><td></td><td></td></tr>
<tr><td></td><td></td><td></td><td></td></tr>
<tr><td></td><td></td><td></td><td></td></tr>
<tr><td></td><td></td><td></td><td></td></tr>
<tr><td>合計　人</td><td>1</td><td></td><td>(100円未満切捨)
円</td></tr>
</table>

(2) 相続人等の納付すべき相続税額の計算　(単位：円)

<table>
<tr><td colspan="2">相続人等
区分</td><td></td><td></td><td></td><td></td><td></td><td></td><td></td></tr>
<tr><td colspan="2">算出税額</td><td></td><td></td><td></td><td></td><td></td><td></td><td></td></tr>
<tr><td rowspan="4">加算又は減算</td><td>相続税額の２割加算</td><td></td><td></td><td></td><td></td><td></td><td></td><td></td></tr>
<tr><td>贈与税額控除額
(暦年課税分)</td><td></td><td></td><td></td><td></td><td></td><td></td><td></td></tr>
<tr><td>配偶者の税額軽減額</td><td></td><td></td><td></td><td></td><td></td><td></td><td></td></tr>
<tr><td>未成年者控除額</td><td></td><td></td><td></td><td></td><td></td><td></td><td></td></tr>
<tr><td colspan="2">差引税額</td><td></td><td></td><td></td><td></td><td></td><td></td><td></td></tr>
<tr><td colspan="2">贈与税額控除額
(相続時精算課税分)</td><td></td><td></td><td></td><td></td><td></td><td></td><td></td></tr>
<tr><td colspan="2">納付税額
(100円未満切捨)</td><td></td><td></td><td></td><td></td><td></td><td></td><td></td></tr>
</table>

(注)　相続税額の２割加算及び控除金額の計算過程は、次の(3)に記載する。

(3) 相続税額の２割加算及び控除金額の計算　　(単位：円)

加算及び控除の項目	対象者	計算過程	金額

問題２	＜答案用紙＞	解答時間	／75分	自己採点	／50点

Ⅰ　各相続人等の相続税の課税価格の計算

1　遺贈財産価額の計算　（単位：円）

取得者	財産の種類	計算過程	課税価格に算入される金額

2　相続又は遺贈によるみなし取得財産価額の計算　　（単位：円）

財産の種類	取 得 者	計　　算　　過　　程	課税価格に算入される金額

3　債務控除額の計算　（単位：円）

債務及び葬式費用	計　算　過　程	金　額
合　計		

4　相続税の課税価格に加算する贈与財産（暦年贈与財産）価額の計算　（単位：円）

贈与年分	受贈者	計　算　過　程	加算される贈与財産価額

5　未分割財産及び未分割債務の相続分に応ずる価額等の計算　（単位：円）

財産の種類	計　算　過　程	金　額

合　　計		

計　　算　　過　　程	課税価格に算入される金額

6　各人の課税価格の計算　（単位：円）

相続人等 区分					
遺贈財産価額					
未分割財産価額					
みなし財産					
未分割債務					
生前贈与加算額					
課税価格 （千円未満切捨）					

Ⅱ　相続税の総額の計算

課税価格の合計額		遺産に係る基礎控除額	課税遺産額
千円		千円	千円
法定相続人	法定相続分	法定相続分に応ずる取得金額	相続税の総額の基となる税額
		千円	円
合計　人	1		(100円未満切捨) 円

Ⅲ　各相続人等の納付すべき相続税額の計算

1　各人別の相続税額の計算　(単位：円)

区分＼相続人等						
算出税額						
加算又は減算						
納付税額 (百円未満切捨)						

2　税額控除等の計算　(単位：円)

控除等の項目	対象者	計算過程	金額

問題3	＜答案用紙＞	解答時間	／70分	自己採点	／50点

1　相続人等の相続税の課税価格の計算

(1) 相続又は遺贈により取得した個々の財産(次の(2)及び(5)に該当するものを除く。)の価額の計算　(単位：円)

財産の種類	計　算　過　程	取得者	課税価格に算入される金額
宅　地　F			
建　物　G			
宅　地　H			
建　物　I			
宅　地　J			
建　物　K			
宅　地　L			

(1) 相続又は遺贈により取得した個々の財産(次の(2)及び(5)に該当するものを除く。)の価額の計算 (続き)　(単位：円)

財産の種類	計　算　過　程	取得者	課税価格に算入される金額
建　物　M			
N 社 株 式			
O 社 株 式			
定 期 預 金			
P 社 株 式			

(1) 相続又は遺贈により取得した個々の財産(次の(2)及び(5)に該当するものを除く。)の価額の計算（続き）（単位：円）

財産の種類	計　　算　　過　　程	取 得 者	課税価格に算入される金額
その他の財産			

(2) 相続又は遺贈によるみなし取得財産の価額の計算（単位：円）

財産の種類	計　　算　　過　　程	取 得 者	課税価格に算入される金額

(2) 相続又は遺贈によるみなし取得財産の価額の計算（続き） （単位：円）

財産の種類	計　算　過　程	取 得 者	課税価格に算入される金額

(3) 小規模宅地等の特例の計算 （単位：円）

特 例 適 用 対 象 財 産	取 得 者	課税価格から減額される金額

(4) 課税価格から控除すべき債務及び葬式費用　(単位：円)

債務及び葬式費用	負担者	計算過程	金額

(5) 課税価格に加算する贈与財産（暦年課税分）価額の計算　(単位：円)

贈与年分	受贈者	計算過程	加算される贈与財産価額

(6) 相続人等の課税価格の計算　(単位：円)

区分＼相続人等						
相続又は遺贈による取得財産						
みなし取得財産						
債務及び葬式費用						
生前贈与加算（暦年課税分）						
課税価格（1,000円未満切捨）						

2　納付すべき相続税額の計算

(1) 相続税の総額の計算

<table>
<tr><td colspan="3">課税価格の合計額</td><td>遺産に係る基礎控除額</td><td>課税遺産額</td></tr>
<tr><td colspan="3">千円</td><td>千円</td><td>千円</td></tr>
<tr><td colspan="2">法定相続人</td><td>法定相続分</td><td>法定相続分に応ずる取得金額</td><td>相続税の総額の基となる税額</td></tr>
<tr><td colspan="2"></td><td></td><td>千円</td><td>円</td></tr>
<tr><td colspan="2"></td><td></td><td></td><td></td></tr>
<tr><td colspan="2"></td><td></td><td></td><td></td></tr>
<tr><td colspan="2"></td><td></td><td></td><td></td></tr>
<tr><td colspan="2"></td><td></td><td></td><td></td></tr>
<tr><td colspan="2"></td><td></td><td></td><td></td></tr>
<tr><td>合計</td><td>人</td><td>1</td><td></td><td>(100円未満切捨)
円</td></tr>
</table>

(2) 相続人等の納付すべき相続税額の計算　(単位：円)

<table>
<tr><td colspan="2">相続人等
区分</td><td></td><td></td><td></td><td></td><td></td><td></td></tr>
<tr><td colspan="2">算出税額</td><td></td><td></td><td></td><td></td><td></td><td></td></tr>
<tr><td rowspan="6">加算又は減算</td><td>相続税額の２割加算</td><td></td><td></td><td></td><td></td><td></td><td></td></tr>
<tr><td>贈与税額控除額
(暦年課税分)</td><td></td><td></td><td></td><td></td><td></td><td></td></tr>
<tr><td>配偶者の税額軽減額</td><td></td><td></td><td></td><td></td><td></td><td></td></tr>
<tr><td>未成年者控除額</td><td></td><td></td><td></td><td></td><td></td><td></td></tr>
<tr><td>障害者控除額</td><td></td><td></td><td></td><td></td><td></td><td></td></tr>
<tr><td>相次相続控除額</td><td></td><td></td><td></td><td></td><td></td><td></td></tr>
<tr><td colspan="2">納付税額
(100円未満切捨)</td><td></td><td></td><td></td><td></td><td></td><td></td></tr>
</table>

(注)　相続税額の２割加算及び控除金額の計算過程は、次の(3)に記載する。

(3) 相続税額の２割加算及び控除金額の計算　　(単位：円)

加算及び控除の項目	対象者	計算過程	金額

問題４	＜答案用紙＞	解答時間　／60分	自己採点　／50点

Ⅰ　相続人及び受遺者の相続税の課税価格の計算

1　相続（遺贈）財産価額の計算　　（単位：円）

取 得 者	財産の種類	計　算　過　程	課税価格に算入される金額

2　相続又は遺贈によるみなし取得財産価額の計算			(単位：円)
取 得 者	財産の種類	計　　算　　過　　程	課税価格に算入される金額

3　債務控除額の計算			(単位：円)
債務及び葬式費用	負 担 者	計　　算　　過　　程	金　　額

4　相続税の課税価格に加算する贈与財産価額　(単位：円)

贈与年分	受贈者	計　算　過　程	加算される贈与財産価額

5　各人の課税価格の計算　(単位：円)

相続人等 / 区分						
相続又は遺贈による取得財産						
みなし取得財産						
債務						
葬式費用						
生前贈与加算						
課税価格（千円未満切捨）						

Ⅱ　相続税の総額の計算

課税価格の合計額		遺産に係る基礎控除額	課税遺産額
千円		千円	千円
法定相続人	法定相続分	法定相続分に応ずる取得金額	相続税の総額の基となる税額
		千円	円
合計　人	1		円

Ⅲ　各相続人等の納付すべき相続税額の計算

1　各人別の相続税額の計算　（単位：円）

区分 ＼ 相続人等						
あん分割合						
算出税額						
加算又は減算						
納付税額（百円未満切捨）						

2　税額控除等の計算			(単位：円)
控除等の項目	対象者	計　算　過　程	金　額

問題５　＜答案用紙＞

解答時間	／70分	自己採点	／50点

1　相続人等の相続税の課税価格の計算

(1) 相続又は遺贈により取得した個々の財産(次の(2)、(3)及び(6)に該当するものを除く。)の価額の計算　(単位：円)

財産の種類	計　算　過　程	取得者	課税価格に算入される金額
宅　地　G			
家　屋　H			
宅　地　I			
家　屋　J			
宅　地　K			
別荘及び別荘地			
L 社 株 式			

M 社 株 式			
Nゴルフ会員権			
受 益 証 券			

定期預金			
分割財産			

(2) 相続又は遺贈によるみなし取得財産（相続時精算課税の適用を受ける財産を除く。）価額の計算　（単位：円）

財産の種類	計　算　過　程	取得者	課税価格に算入される金額

(3) 相続時精算課税の適用を受ける贈与財産価額の計算　（単位：円）

贈与年分	受贈者	計　算　過　程	加算等される贈与財産価額

(4) 小規模宅地等の特例の計算　（単位：円）

特例適用対象財産	取得者	課税価格から減額される金額

(5) 課税価格から控除すべき債務及び葬式費用の計算　(単位：円)

債務及び葬式費用	負担者	計算過程	金額

(6) 課税価格に加算する贈与財産（暦年贈与財産）価額の計算			(単位：円)
贈与年分	受贈者	計　算　過　程	加算される贈与財産価額

(7) 相続人等の課税価格の計算　(単位：円)

区分＼相続人等							
相続又は遺贈による取得財産							
みなし取得財産							
相続時精算課税の適用を受ける贈与財産							
債務及び葬式費用							
生前贈与加算（暦年課税分）							
課税価格（1,000円未満切捨）							

2　納付すべき相続税額の計算

(1) 相続税の総額の計算

課税価格の合計額	遺産に係る基礎控除額	課税遺産額
千円	千円	千円

法定相続人		法定相続分	法定相続分に応ずる取得金額	相続税の総額の基となる税額
			千円	円
合計	人	1		(100円未満切捨) 円

(2) 相続人等の納付すべき相続税額の計算　(単位：円)

区分＼相続人等								
算出税額								
加算又は減算								
納付税額(100円未満切捨)								

(3) 相続税額の２割加算金額及び控除金額の計算			(単位：円)
加算及び控除の項　　　目	対 象 者	計　　算　　過　　程	金　　額

相続 総合 基礎　問題５－９

問題６	＜答案用紙＞	解答時間	／70分	自己採点	／50点

1　相続人等の相続税の課税価格の計算

(1) 相続又は遺贈により取得した個々の財産の価額の計算　　（単位：円）

財産の種類	計　算　過　程	取得者	課税価格に算入される金額

(1) 相続又は遺贈により取得した個々の財産の価額の計算（続き）　　　　（単位：円）

財産の種類	計　　算　　過　　程	取 得 者	課税価格に算入される金額

(1) 相続又は遺贈により取得した個々の財産の価額の計算（続き）　　　　（単位：円）

財産の種類	計　算　過　程	取得者	課税価格に算入される金額

(2) 相続又は遺贈によるみなし取得財産の価額の計算　　　　(単位：円)

財産の種類	計　　算　　過　　程	取 得 者	課税価格に算入される金額

(3) 小規模宅地等の特例の計算　　　　　　　　　　　　　　　　　　　　　　　　（単位：円）

特 例 適 用 対 象 財 産	取 得 者	課税価格から減額される金額

(4) 課税価格から控除すべき債務及び葬式費用　(単位：円)

債務及び葬式費用	負担者	計算過程	金額

(5) 課税価格に加算する贈与財産（暦年課税分）の価額の計算　(単位：円)

贈与年分	受贈者	計算過程	加算される贈与財産価額

(6) 相続人等の課税価格の計算　(単位：円)

相続人等 / 区分							
遺贈又は遺贈による取得財産							
みなし取得財産							
債務及び葬式費用							
生前贈与加算（暦年課税分）							
課税価格（1,000円未満切捨）							

2　納付すべき相続税額の計算

(1) 相続税の総額の計算

<table>
<tr><td colspan="2">課 税 価 格 の 合 計 額</td><td>遺 産 に 係 る 基 礎 控 除 額</td><td>課　税　遺　産　額</td></tr>
<tr><td colspan="2">千円</td><td>千円</td><td>千円</td></tr>
<tr><td>法定相続人</td><td>法定相続分</td><td>法定相続分に応ずる取得金額</td><td>相続税の総額の基となる税額</td></tr>
<tr><td></td><td></td><td>千円</td><td>円</td></tr>
<tr><td></td><td></td><td></td><td></td></tr>
<tr><td></td><td></td><td></td><td></td></tr>
<tr><td></td><td></td><td></td><td></td></tr>
<tr><td></td><td></td><td></td><td></td></tr>
<tr><td></td><td></td><td></td><td></td></tr>
<tr><td>合計　　人</td><td>1</td><td></td><td>(100円未満切捨)
円</td></tr>
</table>

(2) 相続人等の納付すべき相続税額の計算　　(単位：円)

<table>
<tr><td colspan="2">相続人等
区　分</td><td></td><td></td><td></td><td></td><td></td><td></td><td></td></tr>
<tr><td colspan="2">算　出　税　額</td><td></td><td></td><td></td><td></td><td></td><td></td><td></td></tr>
<tr><td rowspan="6">加算又は減算</td><td></td><td></td><td></td><td></td><td></td><td></td><td></td><td></td></tr>
<tr><td></td><td></td><td></td><td></td><td></td><td></td><td></td><td></td></tr>
<tr><td></td><td></td><td></td><td></td><td></td><td></td><td></td><td></td></tr>
<tr><td></td><td></td><td></td><td></td><td></td><td></td><td></td><td></td></tr>
<tr><td></td><td></td><td></td><td></td><td></td><td></td><td></td><td></td></tr>
<tr><td></td><td></td><td></td><td></td><td></td><td></td><td></td><td></td></tr>
<tr><td colspan="2">納　付　税　額
(100円未満切捨)</td><td></td><td></td><td></td><td></td><td></td><td></td><td></td></tr>
</table>

(注)　相続税額の２割加算及び控除金額の計算過程は、次の(3)に記載する。

(3) 相続税額の２割加算及び控除金額の計算　(単位：円)

加算及び控除の項目	対象者	計算過程	金額

(3) 相続税額の２割加算及び控除金額の計算（続き）　　　　（単位：円）

加算及び控除の項目	対象者	計算過程	金額

問題７　＜答案用紙＞

解答時間	／70分	自己採点	／50点

1　各相続人等の相続税の課税価格の計算

(1) 相続又は遺贈により取得した個々の財産(次の(2)及び(3)に該当するものを除く。)の価額の計算　(単位：円)

財産の種類	計　算　過　程	取得者	課税価格に算入される金額
借地権G			
建　物　H			
宅　地　I			
宅　地　J			
建　物　K			
L社株式			
ゴルフ会員権			
定期預金			

(1) 相続又は遺贈により取得した個々の財産(次の(2)及び(3)に該当するものを除く。)の価額の計算（続き）（単位：円）

財産の種類	計　算　過　程	取得者	課税価格に算入される金額
受益証券			
預貯金等			

(2) 相続又は遺贈により取得した個々の財産(取引相場のないM社株式)の価額の計算

イ　評価方式の判定

ロ　１株当たりの純資産価額の計算　　(単位：円)

計　　算　　過　　程

ハ　１株当たりの価額の計算　　(単位：円)

財産の種類	計　　算　　過　　程	取 得 者	課税価格に算入される金額
M 社 株 式			

(3) 相続又は遺贈によるみなし取得財産の価額の計算　(単位：円)

財産の種類	計　算　過　程	取 得 者	課税価格に算入される金額

(4) 小規模宅地等の特例の計算　(単位：円)

特　例　適　用　対　象　財　産	取　得　者	課税価格から減額される金額

(5) 課税価格に加算する贈与財産（相続時精算課税適用財産）の価額の計算　(単位：円)

贈 与 年 分	受 贈 者	計　　算　　過　　程	加算される贈与財　産　価　額

(6) 課税価格から控除すべき債務及び葬式費用　(単位：円)

債務及び葬式費用	負担者	計算過程	金額

(7) 課税価格に加算する贈与財産（暦年贈与財産）の価額の計算　(単位：円)

贈与年分	受贈者	計算過程	加算される贈与財産価額

(8) 各相続人等の課税価格の計算　(単位：円)

区分＼相続人等							
相続又は遺贈による取得財産							
みなし取得財産							
相続時精算課税の適用を受ける贈与財産							
債務及び葬式費用							
生前贈与加算（暦年課税分）							
課税価格（1,000円未満切捨）							

２　納付すべき相続税額の計算

(1) 相続税の総額の計算

課税価格の合計額		遺産に係る基礎控除額	課税遺産額
千円		千円	千円
法定相続人	法定相続分	法定相続分に応ずる取得金額	相続税の総額の基となる税額
		千円	円
合計　人	1		(100円未満切捨) 円

(2) 相続人等の納付すべき相続税額の計算　(単位：円)

区分＼相続人等								
算出税額								
加算又は減算								
納付税額 (100円未満切捨)								

(注)　相続税額の２割加算及び控除金額等の計算過程は、次の(3)に記載する。

(3) 相続税額の２割加算及び控除金額の計算　(単位：円)

加算及び控除の項目	対象者	計算過程	金額

(3) 相続税額の２割加算及び控除金額の計算（続き）　　　　　　　　　　（単位：円）

加算及び控除の項目	対象者	計算過程	金額

問題8	＜答案用紙＞	解答時間	／60分	自己採点	／50点

Ⅰ　相続人及び受遺者の相続税の課税価格の計算

1　遺贈財産価額の計算　（単位：円）

取得者	財産の種類	計算過程	金額

2　分割財産価額の計算　（単位：円）

取 得 者	計　　算　　過　　程	金　　額

3　債務控除額の計算　（単位：円）

債務及び葬式費用	負 担 者	計　　算　　過　　程	金　　額

4　相続又は遺贈によるみなし財産価額の計算　（単位：円）

財産の種類	取 得 者	計　　算　　過　　程	金　　額

5　相続税の課税価格に加算する贈与財産価額の計算　（単位：円）

贈与年分	受贈者	計算過程	加算される贈与財産価額

6　各人別の相続税の課税価格の計算　(単位：円)

区分＼相続人等						
遺贈による取得財産						
分割による取得財産						
みなし取得財産						
債務及び葬式費用						
生前贈与財産の加算額						
課税価格(千円未満切捨)						

Ⅱ　相続税の総額の計算

課税価格の合計額	遺産に係る基礎控除額	課税遺産額
千円	千円	千円

法定相続人		法定相続分	法定相続分に応ずる取得金額		相続税の総額の基となる税額
			千円		円
合計	人	1		相続税の総額	(百円未満切捨) 円

Ⅲ　各相続人等の納付すべき相続税額の計算

1　各人別の納付税額の計算　（単位：円）

区分＼相続人等							
算出税額							
加算又は減算							
納付税額（百円未満切捨）							

2　税額控除等の計算　（単位：円）

控除等の項目	対象者	計算過程	金額

問題９	＜答案用紙＞	解答時間	／70分	自己採点	／50点

Ⅰ　各相続人等の相続税の課税価格の計算

(1) 遺贈により取得した財産

(単位：円)

財産の種類	計　　算　　過　　程	取得者	課税価格に算入される金額
G市の宅地			
G市の家屋			
H市の宅地			
K市の宅地			
K市の家屋			
附属設備等			
門及び塀			

J転換社債			
その他の財産			
I 社 株 式			
L 社 株 式			
絵　　　画			

(2) 相続又は遺贈によるみなし財産の価額の計算　　(単位：円)

財産の種類	計　　算　　過　　程	取 得 者	課税価格に算入される金額

(3) 債務控除額の計算　　(単位：円)

債務及び葬式費用	計　算　過　程	金　額
合　計		

(4) 相続税の課税価格に加算される贈与財産の価額　　(単位：円)

贈与年分	受贈者	計　算　過　程	課税価格に加算される金額

(5) 未分割遺産・未分割立木及び未分割債務の計算　　　(単位：円)

財産の種類	計　算　過　程	金　額
M市の借地権		
M市の家屋		
N市の山林		
N市の立木		
その他一般動産		
合　計		

① 未分割遺産の価額

② 特別受益額

③　みなし相続財産の価額

④　各相続人に対する具体的相続分

⑤　未分割立木の評価減の計算

⑥　未分割債務の計算

（6）各人の課税価格の計算　　（単位：円）

区分＼相続人等					
遺贈財産					
未分割遺産					
未分割立木の評価減					
みなし財産					
未分割債務					
生前贈与加算					
課税価格（1,000円未満切捨）					

Ⅱ　相続税の総額の計算

課税価格の合計額		遺産に係る基礎控除額	課税遺産額
千円		千円	千円
法定相続人	法定相続分	法定相続分に応ずる取得金額	相続税の総額の基となる税額
		千円	円
合計　人	1		円

Ⅲ　相続人等の納付すべき相続税額の計算

(1) 各人の納付すべき相続税額の計算　　（単位：円）

区分＼相続人等						
算出相続税額						
加算又は控除						
納付税額（100円未満切捨）						

(2) 税額控除等の計算　　　　　　　　　　　　　　　　　　　　　　　(単位：円)

税額控除等	対象者	計算過程	金額

問題10	＜答案用紙＞	解答時間	／70分	自己採点	／50点

1　相続人等の相続税の課税価格の計算

(1) 相続又は遺贈により取得した個々の財産（次の(2)に該当するものを除く。）の価額の計算　　(単位：円)

財産の種類	計　算　過　程	取得者	課税価格に算入される金額
M区の宅地			
M区の家屋			

附属設備等			
N社の株式			

定期預金			
動　産　等			
O社の株式			
利付社債			

貸付金債権			
ゴルフ会員権			
別荘及び別荘地			
Ｐ市の宅地			
Ｐ市の家屋			
その他の財産			

小規模宅地等の特例の計算

特例適用対象財産	取得者	課税価格から減額される金額

(2) 相続又は遺贈によるみなし取得財産の価額の計算　　　　　　　　　（単位：円）

財産の種類	計　算　過　程	取得者	課税価格に算入される金額

(3) 課税価格から控除すべき債務及び葬式費用の額の計算　　(単位：円)

債務及び葬式費用	計算過程	負担者	金額

(4) 課税価格に加算する贈与財産（暦年贈与財産）の価額の計算　　(単位：円)

贈与年分	受贈者	計算過程	加算される贈与財産価額

(5) 相続人等の課税価格の計算　　(単位：円)

区分＼相続人等	配偶者乙	長男B	母丁	二男C	孫D	合計
① 純資産価額	312,870,228	531,992,880	91,605,024	52,000,000	35,000,000	1,023,468,132
② 生前贈与加算（暦年課税分）						
③ 課税価格（千円未満切捨）						

2　納付すべき相続税額の計算

(1)　相続税の総額の計算

課税価格の合計額		遺産に係る基礎控除額	課税遺産額
千円		千円	千円
法定相続人	法定相続分(分数)	法定相続分に応ずる取得金額	相続税の総額の基となる税額
	――	千円	円
	――		
	――		
	――		
	――		
	――		
合計　人	1		(百円未満切捨) 円

(2)　相続人等の納付すべき相続税額の計算　(単位：円)

区分＼相続人等		配偶者乙	長男　B	母　丁	二男　C	孫　D	
算出税額							
加算又は減算							
納付税額 (百円未満切捨)							

(3) 相続税額の２割加算金額及び控除金額の計算　　　　　　　　　　　　　(単位：円)

加算及び控除の項目	対象者	計算過程	金額